P9-AFS-699

PENSÉES, MAXIMES ET ANECDOTES

Sacha Guitry

Pensées, maximes et anecdotes

le cherche midi éditeur
23, rue du Cherche-Midi – 75006 PARIS

Les textes composant cet ouvrage sont extraits de :

SACHA GUITRY : *Mes Médecins,* chez Cortial, à Paris, 1932; *Toutes réflexions faites,* l'Elan, 1947; *Elles et toi,* Raoul Solar éditeur, 1947; *L'Esprit,* Le Livre Contemporain, 1958; *Si j'ai bonne mémoire et autres souvenirs,* Librairie académique Perrin, 1960; *Les Femmes et l'amour,* Librairie académique Perrin, 1964; *Théâtre complet,* Librairie académique Perrin et les éditions du Club de l'Honnête Homme, 1973; *Le Petit Carnet rouge et autres souvenirs inédits,* Librairie académique Perrin, 1979; *A bâtons rompus,* Librairie académique Perrin, 1981. Ainsi que du livre de Lana Guitry : *Et Sacha vous est conté...,* Le Livre Contemporain, 1960.

Ces textes ont été recueillis par Marion de Montbarat.

Pensées, réflexions, maximes — et jeux de mots.
Il ne faut pas s'étonner de leur mélancolie ni de leur pessimisme.
On ne réfléchit pas lorsqu'on est heureux.

Sacha GUITRY
(Les Femmes et l'amour)

I

Mon portrait

Je jouis d'une prestance physique qui porte sur les nerfs à la plupart des gens — mais qui me rend bien des services, d'autre part.

Ma démarche, mes gestes, et, plus encore, ma voix contribuent à me faire aimer par les uns et à me faire détester par les autres. Car je suis détesté par beaucoup de personnes — et je m'en rends bien compte.

Si j'en parle aujourd'hui fort délibérément, c'est bien pour la raison que je n'en souffre plus.

Mais que j'en ai souffert !

Je l'avoue à ma honte.

Et j'en reparlerai.

Contrairement à ce qu'on pourrait croire, je n'ai jamais été satisfait de mon physique. Je le trouve excessif. Et je n'ai que faire de ma force qui est herculéenne — et qui ne m'a jamais servi à rien.

Je me demande pourquoi j'ai des biceps de lutteur !

A vingt ans, je me trouvais trop gros, mais je ne faisais rien pour maigrir. Plus tard, je me suis trouvé quelconque, et j'ai toujours évité de me regarder dans les glaces — hormis pour me maquiller, bien entendu — et là, précisément, bien heureux de pouvoir me corriger un peu.

D'ailleurs, en vérité, je n'aime pas qu'on me regarde — alors que j'ai passé ma vie à me montrer !

Même au théâtre, j'ai l'espoir qu'on m'écoute — en regardant mes partenaires.

Les photographies qu'on a faites de moi en témoignent d'ailleurs. Je pose sans plaisir, en ne sachant jamais quelle contenance prendre.

Cela tient à ce que les traits de mon visage m'ont été imposés et qu'ils se trouvent en désaccord avec mon caractère, mes sentiments et mes pensées, toutes choses qui, elles, me sont propres.

Je serais différent si j'avais pu me faire — comme, moralement, je me suis fait.

Et toute lutte est vaine à cet égard, d'ailleurs. Je suis l'esclave d'un physique prépondérant — et, de même que, «à la scène», il me serait impossible de feindre avec succès l'humilité ou la réserve, j'ai dû dès longtemps renoncer à passer pour simple «à la ville».

Quand je me suis vu à l'écran, j'ai tout de suite compris pourquoi j'étais antipathique à tant de gens.

J'ai je ne sais quoi de péremptoire et je dirai même d'infaillible propre à me rendre assez odieux. Mes traits sont empâtés, mon regard est imprécis, je n'ai rien qui soit apparemment spirituel — et, à n'en pas douter, j'étais fait pour jouer les grands premiers rôles de drame. Je ne dis pas pour les jouer bien — mais pour les jouer, certainement.

Je l'ai fait quelquefois, jamais avec plaisir — hanté par la pensée que j'imitais mon père.

* * *

Je dois ajouter que je ne me suis d'ailleurs jamais considéré comme un acteur, n'ayant interprété que mes propres ouvrages. Et, parfois même, il m'est arrivé de me dire, saluant le public en fin de soirée :

— Veux-tu saluer en auteur, je te prie, et sans sourire, car c'est ta pièce en ce moment qu'on applaudit, ce n'est pas toi.

Les auteurs ont toujours envié leurs interprètes — et je n'échappe pas à la règle commune.

* * *

Mais — abordons le caractère.

Aux yeux des gens, mes deux plus grands défauts sont l'égoïsme et la vanité.

Suis-je égoïste ?

Oui, comme tout le monde — mais pas plus. Peut-être moins que beaucoup d'autres — mais cela doit se voir davantage chez un homme de mon espèce : un homme heureux.

On trouve naturel qu'un homme malheureux ne s'occupe que de soi — tandis qu'un homme heureux passera pour un monstre s'il ne s'occupe pas exclusivement des autres — les gens restant d'ailleurs convaincus qu'il n'est heureux que parce qu'il s'occupe exclusivement de lui.

Et rien n'y fait — rien n'y fera.

A-t-il un joli geste — c'est pour se faire pardonner!

Donne-t-il un peu d'argent — il aurait pu en donner plus !

En donne-t-il beaucoup — hein, faut-il qu'il en ait !

* * *

Car je suis de ces hommes à qui l'on ne pardonne rien.

On ne me pardonne même pas les malheurs qui me sont arrivés — car on est convaincu qu'aucun n'a pu m'atteindre, et qu'il n'y en a pas dont je n'aie tiré quelque profit — ce qui est vrai, d'ailleurs.

Mes maladies, mes fours, mes infortunes conjugales, les calomnies dont je suis abreuvé depuis plus de trente ans, tout cela m'est reproché comme autant d'avantages du fait que mon travail ne s'en ressent jamais.

On ne me pardonne pas d'être le fils d'un homme incomparable — auquel il faut pourtant, bon gré-mal gré, qu'on me compare, car je le renouvelle et je le continue — le talent mis à part. Même physique et même voix — et même façon d'être, héréditaire aussi. Même orgueil apparent, même dédain railleur des règles établies, même insolence quand il faut et même liberté conquise et conservée — conservée à tout prix — jusque dans la prison où je payais aussi ses quarante ans à lui de Royauté sur le Théâtre.

Deux Guitry, c'est beaucoup — pour les ratés, c'est trop. C'est trop, c'est encombrant — et ça n'en finit plus !

Et je règle aujourd'hui les dettes de mon père en acquittant les miennes.

Les femmes ne me pardonnent pas de m'être marié quatre fois — les hommes ne me pardonnent pas d'avoir quatre fois divorcé.

Et l'on verra que ceux qui m'ont fait arrêter, s'apercevant de la sottise qu'ils ont faite, ne me le pardonneront pas de sitôt.

* * *

Suis-je vaniteux ?

Moi, je prétends que non, car je me connais bien.

Aucune de mes pièces ne me satisfait complètement — et quant à la situation que j'occupe, n'ayant rien fait jamais pour y parvenir, elle me surprend bien plus qu'elle ne comble mes vœux. Je n'ai sollicité ni la Légion d'honneur ni l'Académie Goncourt, ni quelque fauteuil présidentiel que ce soit. Je n'ai proposé de pièces de moi à aucun directeur depuis plus de trente ans — je n'ai jamais demandé que l'on m'interviewât, je n'ai jamais envoyé de notes à des journaux — j'ai toujours évité de me montrer dans les endroits publics — je n'ai jamais fait imprimer mon nom sur une affiche en plus gros caractères que ceux employés pour mes interprètes — et, finalement, je mets au défi mes détracteurs de fournir une preuve de cette vanité qu'on me reproche tant.

Or donc, vaniteux, non — mais épateur, ça, je l'avoue.

Epateur, parce qu'au fond très épaté d'en être arrivé là.

Très épaté pour la raison que cette heureuse issue était imprévisible.

Mon incoercible paresse, en effet, et mon ignorance quasi totale ne me désignaient guère à tant de professions toutes plus absorbantes, et plus ardues d'ailleurs les unes que les autres — mais d'autre part, il m'avait plu de considérer comme autant de défis les avertissements qui m'avaient été prodigués dès ma prime jeunesse.

A ceux qui m'avaient dit : «Tu verras !», j'avais répondu : «Nous verrons !»

Je n'avais pas de but, mais je faisais un rêve.

Et pour tout dire, en vérité, je ne rêvais que d'épater l'adorable auteur de mes jours.

* * *

Et je m'accuse aussi d'un peu d'ostentation.

Je suis visiblement enchanté d'avoir pu réunir chez moi tant de tableaux de choix, de livres admirables et de manuscrits précieux.

Je fais l'étalage de mes collections avec une sorte d'impudeur que j'observe — et dont je me guéris chaque jour davantage, car toutes ces merveilles, je les vois s'en aller de chez moi une à une.

Je les avais acquises avec discernement — avec amour aussi — puisque j'avais formé dès longtemps le dessein d'offrir à mon pays ma maison telle quelle, avec ses objets d'art, avec le souvenir si présent de mon père.

Un an de cauchemar a vu s'évanouir quarante années de rêves.

* * *

Non, non, ni vaniteux — ni, d'ailleurs, égoïste.

Turbulent, touche-à-tout, d'une impatience folle et dévorant la vie — du reste convaincu que rien n'est impossible — et parfois, j'en conviens, me croyant tout permis — sans volonté suivie, sans ambition réelle et pas persévérant — opposant une force d'inertie déplorable aux choses qui m'ennuient — mais faisant toujours passer le bonheur des autres avant le mien — me sacrifiant sans le savoir, ou bien alors pour mon plaisir — négligeant ma santé jusqu'à la compromettre — prodigue, je m'en flatte, mais incapable de faire un pas par intérêt — et travaillant quinze heures par jour, comme si ce n'était pas permis — tel est l'homme que j'étais — et que je suis peut-être encore.

* * *

Illusionniste-né, vite il m'est apparu qu'au mépris des coutumes et des conventions, j'avais pour mission de plaire à mes contemporains — sans cependant jamais déplaire à Jules Renard.

Comblé par le destin, je n'ai pas eu d'autre souci.

* * *

Il est pourtant une vertu que je possède au plus haut point — c'est le sang-froid.

Ce qu'on appelle «le coup dur» me met hors de combat, du moins physiquement, pendant quelques secondes — le temps d'en supputer toutes les conséquences. J'en vois les avantages et les inconvénients — si bien que le comique aussitôt s'en dégage. Et, dès lors, attentif, intéressé, subtil, je ne néglige rien de ce que l'incident pourrait avoir d'irracontable si je devais cesser d'y tenir le beau rôle.

En quelque circonstance que ce soit, je ne me suis jamais départi de ce calme — et j'en ai fait l'expérience, récemment, sous la menace d'une arme à feu, dans ma cellule, à trois reprises.

* * *

Je puis donc me flatter de ne m'être jamais mis en colère de ma vie.

Je n'ai jamais donné de coup de poing sur les tables ni fait claquer les portes — je n'ai jamais levé la main sur personne — et j'ai détesté pendant quelques instants ceux ou celles qui m'ont fait élever la voix.

* * *

Dans le commerce journalier, j'ai tout lieu de me croire en somme assez vivable — encore qu'à de certains égards je sois peut-être singulier.

Rien ne me distrait, rien ne m'amuse — et ce qui ne me passionne pas m'ennuie.

Je ne suis guère intransigeant, mais il n'est rien que je supporte aussi mal que l'impolitesse.

L'injure et la grossièreté elles-mêmes m'offusquent beaucoup moins.

Dans la rupture avec la femme, avec l'ami ou la maîtresse — voire avec la servante, avec le fournisseur — étant toujours hostile à la demi-mesure, je ne suis pas de ceux qui se réconcilient.

Dans la conversation, je suis intolérant, péroreur et formel — parfois brillant d'ailleurs — mais trop persuasif et toujours volubile.

Bavard impénitent, je suis pris de vertige en prenant la parole — et je ne la rendrais pas pour un boulet de canon !

Mais il peut advenir qu'un adversaire assez rusé pour s'en saisir m'en dépossède cependant.

Quand ce malheur m'arrive — hélas ! — je tombe en un état voisin de la torpeur qui ne manque jamais d'attirer l'attention des âmes charitables.

Eprises de justice, ou prises de pitié, elles me font alors restituer mon bien — et je reviens vite à la vie.

* * *

Ainsi j'aurais parlé de moi pour la première — et pour la dernière fois sans doute.

Et si j'en ai parlé, si j'en ai trop parlé, que l'on s'en prenne à d'autres.

Il n'aurait pas fallu qu'on m'en donnât l'exemple.

L'homme qu'on incarcère est tenté de se croire assez intéressant — et pour peu qu'on ait mis sa vie en question, il attache aussitôt du prix à sa personne — et beaucoup moins à l'existence.

Ce qu'on m'accusait d'être, assez injustement : égoïste, cynique, impudent et moqueur — puissé-je le devenir afin que mes ennemis, voyant la différence, en restent confondus.

* * *

Les réflexions qui suivent, notées au jour le jour au cours de cette année, achèveront de me dépeindre — et me feront mieux connaître encore.

* * *

Lorsqu'un événement se produit dans ma vie — je m'imagine aussitôt que la chose m'arrive.

* * *

Pauvres sots qui me reprochez ma façon de dire «Moi» — si vous étiez de mes intimes, vous sauriez comment je dis «Toi».

* * *

En amour, le plaisir que j'éprouve est pour moi secondaire.
Ma sensualité se satisfait fort bien du plaisir que je donne.

* * *

Si ceux qui disent du mal de moi savaient exactement ce que je pense d'eux, ils en diraient bien davantage !

* * *

Je ne suis pas fort en affaires — mais je me suis fait rouler toutes les fois que c'était mon intérêt — et ceux qui m'ont roulé y ont perdu plus que moi.

* * *

Je suis si fatigué que je bâille en dormant.

* * *

Il y a certaines bêtises que j'ai faites parce que je savais qu'elles seraient amusantes à raconter.

* * *

Du jour où j'ai compris quels étaient les gens que j'exaspérais, j'avoue que j'ai tout fait pour les exaspérer.

* * *

Atteint de lassitude et de mélancolie, je détourne parfois la tête — et, si je ne me surveillais pas, bien des phrases de moi commenceraient ainsi :

— De mon vivant...

* * *

21 février 1945.
J'ai cinquante-dix ans !

* * *

J'ai appris à aimer certains hommes par le mal que j'en avais entendu dire par d'autres hommes que je n'aimais pas.

* * *

J'ai fait tant et tant de projets — et depuis si longtemps — que mon avenir est plein de vieilles connaissances.
On dirait le passé d'un autre.

* * *

Je ne désire que ce que j'ai.

* * *

Ma mémoire est fantasque — et parfois il m'arrive de parler très fort à l'oreille d'un myope.

* * *

Ce qui tue, c'est l'espoir.

Et, tandis qu'ils en meurent, combien on voit de gens qui disent qu'ils en vivent.

* * *

Je n'aime pas qu'on me téléphone — et je donne d'interminables coups de téléphone pour que, pendant ce temps-là, personne ne puisse me téléphoner.

* * *

A de certaines heures, je n'aime à fréquenter que des gens qui me sont indifférents — et plus ils me sont indifférents, plus je m'attache à eux.

* * *

Or, à ces heures-là, j'éprouve un singulier plaisir à reporter toute ma tendresse sur des objets dont la valeur — enfin ! — n'est que sentimentale : une lettre de Stendhal, un pinceau de Monet, l'encrier de Flaubert, quatre coups de crayon de Lautrec, une arabesque de Matisse...

* * *

Il faut de temps à autre me faire souvenir des gens avec qui je suis brouillé, sans quoi je ferais des gaffes — et je les saluerais.

* * *

Je ne suis détesté que par des imbéciles — ou par des gens qui sont d'une laideur extrême. Il est vrai d'ajouter que l'un n'exclut pas l'autre et que l'idiotisme est compatible en outre avec le biscornu.

* * *

Ma vie de garçon a la vie dure — et c'est en vain que depuis quarante ans je l'enterre.

* * *

Je me demande parfois si je ne deviens pas fou, car il m'arrive de me dire :

— Plus tard, quand je serai jeune...

* * *

Elle est partie — enfin !

Enfin, me voilà seul.

C'était, depuis bien des années, mon rêve. Je vais donc enfin vivre seul !
Et déjà je me demande avec qui.

* * *

A la tombée du jour, je me suis promené seul dans les bois pendant une heure. J'allais, me répétant tout bas le mot «amour» — dans l'espoir où j'étais qu'une réflexion profonde, originale ou drôle me viendrait à l'esprit.

Je disais : «L'amour... quand l'amour... si l'amour... l'amour... l'amour...» et c'était malgré moi des refrains de chansons qui me venaient à la mémoire.

De tout ce que j'avais entendu, de tout ce que j'avais lu, de tout ce que j'avais dit moi-même, il ne restait que des refrains — des refrains qui, liés les uns aux autres, ne formaient plus qu'un grand refrain berceur, doux et mélancolique.

J'avais beau faire un grand effort pour évoquer l'amour sous une forme plus haute, je ne parvenais pas à lui donner les ailes immenses dont souvent on le pare. J'avais beau me répéter qu'il est plus fort que tout, qu'on se ruine pour lui, qu'on vole et qu'on se tue, j'avais beau me souvenir et me battre les flancs — c'était en vain. Dans le silence de cette allée que j'arpentais, les mots qui me venaient étaient toujours les mêmes.

Alors, j'allai dans le passé. Je réveillai tous les amants héroïques d'autrefois afin d'en tirer quelque chose.

Hélas !

Des serments éternels, des promesses infinies, des sanglots prolongés, de tout ce passé dans lequel je plongeais mes regards et mes mains, il ne restait plus que des petites mèches de cheveux... quelques fleurs fanées... des bijoux bon marché... des fins de lettres... des commencements de phrases... des points de suspension, des petites taches, un peu de sang... des points d'exclamation... des «oh !»... des «ah !»... des cris... des baisers... des baisers très longs... des baisers très courts volés à quelqu'un... des silences, des silences interminables... des murmures, des plaintes étouffées... des soupirs... d'autres cris... des silences différents... et puis, des mots... des mots... des mots méchants... des mots cruels... des mots incompréhensibles... des sobriquets... de petits mots... des mots moyens... et de grands mots, le mot «toujours»... le mot «jamais» ... et le mot «adieu» qui revient tout le temps, tout le temps... et puis des vers... des vers... beaucoup de vers... des vers très longs, mais très fragiles et qui se cassent en morceaux pour qu'on puisse facilement les mettre en musique — et les refrains de chansonnettes recommençaient dans ma mémoire leur danse nostalgique et triste et souriante...

* * *

Lorsque, pendant un jour entier, je me trouve privé de femme, j'ai l'impression que, ce jour-là, une femme doit se trouver entièrement privée de tout.

* * *

J'ai pris mon rhume en grippe.

* * *

Il va falloir qu'un jour enfin je me décide à lire les livres que, depuis trente ans, je conseille à mes amis de lire.

* * *

J'aurai passé ma vie à confirmer la règle.

* * *

Ces journalistes venimeux qui vous insultent, vous diffament — il ne suffit pas qu'on les lise. Il convient encor qu'on ait vu les gueules dont ils sont pourvus.

Ça renseigne et ça tranquillise.

(25 octobre 1940)

* * *

J'ai la prétention de ne pas plaire à tout le monde.

* * *

C'est la familiarité de mes ennemis qui, plus que tout, me désoblige — car elle laisserait à supposer que ce sont là d'anciens amis.

* * *

Je suis libre d'avoir une opinion — et c'est déjà très beau — mais je voudrais bien être libre aussi de n'en pas avoir.

* * *

Mon nom était fait.
Je me suis fait un prénom.

* * *

J'écris une lettre et je l'envoie.
Le brouillon en est là, sous mes yeux.
Je le relis.
Je n'en suis pas satisfait — mais la lettre est partie !
Je corrige le brouillon quand même.

* * *

Voilà un homme que je connais à peine — et qui cependant me déteste comme si nous étions parents.

* * *

Le peu que je sais, c'est à mon ignorance que je le dois.

* * *

Mes ennemis, ma foi, me font beaucoup d'honneur : ils s'acharnent après moi comme si j'avais de l'avenir !

* * *

Cet homme qui, depuis deux ans, dit de moi pis que pendre, est mort hier au soir.

Je n'en demandais pas tant !

Et, d'autre part, je veux espérer qu'ils ne vont pas tous chercher à s'en tirer de cette façon-là !

* * *

Tandis qu'ils me palpaient — ceux qui m'ont arrêté — je me suis fait le serment d'être le spectateur des événements qui allaient se produire.

Je n'ai pas l'habitude de jouer dans les pièces des autres.

* * *

N'ayant pas eu d'enfant — je suis toujours un fils.

* * *

Que d'aventures qui m'arrivent et qui ressemblent à des comédies !

Que de sujets, journellement, m'apporte encore la vie !

Mais, dans la vie, hélas ! on ne fait pas tomber le rideau quand on veut.

* * *

J'ai, depuis vingt années, cet homme à mon service — et sa fidélité fait l'admiration de tous ceux qui m'entourent.

Je n'y contredis pas — mais j'aimerais aussi qu'on admirât la mienne.

* * *

J'aime tellement la langue française que je considère un peu comme une trahison le fait d'apprendre une langue étrangère.

Et puisqu'on dit communément qu'on ne sait pas un traître mot de telle ou telle langue, que ne dit-on d'un homme qu'il est en train d'apprendre quelques traîtres mots d'allemand — par exemple.

* * *

Oh ! Je me doutais bien que quand on est dans le malheur, on ne peut guère compter sur ses amis intimes — mais je m'étais imaginé que l'on pouvait du moins tabler sur ses vrais ennemis.

Naïf, je me disais que ceux qui me détestent auraient la loyauté de prendre ma défense — dans leur propre intérêt, pour paraître équitables — et par ambition.

Mais ils ont préféré perdre tout leur crédit.

On ne peut décidément compter sur personne !

* * *

On ne m'aime jamais sans me haïr un peu.

On ne me hait jamais sans un rien de tendresse.

* * *

Ma femme s'est remariée avec un emballeur.

Je suis le premier mari de la femme d'un emballeur.

* * *

Il est possible, en ce moment, que j'aie raison — mais je me demande si c'est mon intérêt d'avoir raison en ce moment.

* * *

Merci, gendarme paternel, merci, gendarme avec pitié, qui, me considérant comme un petit enfant, m'avez dit ce jour-là :

— Donnez-moi vos menottes.

* * *

Tant d'épreuves — pourquoi !
Je suis incorrigible.

* * *

Et même enfin j'admire que, cessant d'être un point de mire, on puisse devenir aussi vite une cible.

* * *

— Quel dommage que vous n'ayez pas un fils !

A cette phrase, à ce regret que l'on m'a si souvent exprimé, je réponds aujourd'hui :

— Ç'aurait fait trois Guitry. J'ai eu pitié de mes confrères.

* * *

Personne autour de moi, jamais, ne s'est rendu compte à quel point j'aurais pu être malheureux si je l'avais voulu.

* * *

Vous me jugez sur mes réponses ?
Si vous croyez que je ne vous juge pas sur vos questions !

* * *

Au choix : mort violente — ou pas violente ?
Elle est pour moi toujours violente — car mourir, je trouve ça violent !

* * *

Il est neuf heures, je travaille — et le repas du soir est servi déjà depuis vingt minutes — et la pendule, sans arrêt, me conseille : «Dîne donc, dîne donc, dîne donc...».

* * *

Dès longtemps j'avais décelé chez mes amis les plus intimes comme un secret espoir de me voir malheureux dans mon propre intérêt.

* * *

J'ai déchiré le testament que je venais d'écrire.

Il faisait tant d'heureux que j'en serais arrivé à me tuer pour ne pas trop les faire attendre.

* * *

Je suis bien forcé de dire que j'ai du génie pour que les autres répètent que j'ai du talent.

* * *

Ce qu'on m'accusait d'être, assez injustement, égoïste et cynique, ou prudent et moqueur, puissé-je le devenir afin que mes ennemis, voyant la différence, en restent confondus.

* * *

Devant un buste de moi récemment terminé, que je trouvais médiocre et que je lui montrais, Antoine Bourdelle m'a dit un jour :

— Ne soyez pas sévère, ne soyez surtout pas injuste. Ce n'est pas la faute du sculpteur.

* * *

Je m'amuse tout de même plus lorsque je m'ennuie que lorsque je ne m'ennuie pas — parce que lorsque je ne m'ennuie pas, je pense aux choses qui me sont imposées pour me distraire, tandis que lorsque je m'ennuie je pense aux choses que je choisis moi-même pour me désennuyer — et ça ne traîne pas.

DU SOMMEIL

Je n'aime vraiment pas cette espèce de mort, ce renoncement à la vie, je n'aime pas cet oubli des choses — car les choses, quelles qu'elles soient, m'ont toujours semblé dignes d'intérêt et je ne consens à fermer les yeux que lorsque mes pensées s'embrouillent, jusqu'à rendre féeriques les conceptions les plus banales. Je laisse à ma fatigue le soin de m'assigner l'instant où je dois m'endormir, et je m'éteins souvent avant d'avoir éteint la lumière.

Sitôt que je m'éveille, je débrouille et je reprends le fil de mes projets. Je m'applique donc à continuer de vivre avant même d'avoir ouvert les yeux.

Et ce sont, n'est-ce pas ? des minutes charmantes. On est encore un peu l'esclave des rêves qu'on a faits, ils se mêlent aux réalités qui se précisent doucement; on retrouve la page commencée, la phrase suspendue, le mot inachevé...

* * *

La boisson, l'opium et la morphine apportent à ceux qui s'y sont adonnés l'illusion d'un bonheur longuement souhaité, une libération momentanée, une quiétude passagère. Mais à quel prix ! C'est l'abandon de soi-même. C'est le renoncement à la vie. Ces passions-là sont lâches.

Se piquer à la morphine, c'est vouloir fuir. Fumer l'opium, c'est se perdre. Boire, c'est se quitter.

Tandis que jouer, c'est courir après soi. C'est se chercher.

J'aime le jeu — et j'aime le jeu non point seulement parce qu'il donne le goût du risque, mais bien plus encore parce qu'il est un témoignage de confiance — de confiance en soi tout d'abord, et de confiance aussi dans la vie, dans le Destin — car le hasard, à mes yeux, n'est pas autre chose que le Destin, et le Destin, pour moi, c'est le Bon Dieu. Je ne suis donc pas éloigné de penser qu'être joueur, c'est croire en Dieu.

II

Des femmes en général

Tout ce mal que je pense et que je dis des femmes, je le pense et je le dis, je ne le pense et ne le dis que des personnes qui me plaisent ou qui m'ont plu.

Et on ne peut les aimer à la folie — l'une après l'autre — que si l'on considère que celle que l'on aime est la seule qui soit aimable sur la terre.

* * *

Je crois que les femmes sont faites pour être mariées et que les hommes sont faits pour être célibataires. C'est de là que vient tout le mal !

* * *

Il y a des millions de raisons pour que les

femmes s'habillent comme elles le font : et toutes ces raisons sont des hommes.

* * *

Jeunes, elles vous trompent; vieilles, elle ne veulent pas être trompées.

* * *

On ne peut pas épouser les laiderons uniquement pour avoir la paix.

* * *

On n'est jamais trompé par celle que l'on voudrait.

* * *

Chaque fois que je fais la connaissance d'un couple, je me demande pourquoi ils vivent ensemble.

* * *

Une femme peut tout faire, elle peut penser, parler, chanter, se taire quelquefois.

* * *

Le plus bel homme est plus beau que la plus belle des femmes.

* * *

Quand nous regardons une femme, nous pensons à nous, tandis qu'elle, maligne, c'est à nous qu'elle pense.

* * *

Le monde est mené par les femmes et il va à hue et à dia parce que combien d'hommes ont une femme et une maîtresse, et que, de ce fait, ils sont écartelés.

* * *

Si une femme est malheureuse, elles lui font du bien. Mais si une femme est heureuse, elles en disent du mal.

* * *

Les femmes semblent être supérieurement douées pour les fonctions qui coûtent de l'argent au lieu d'en rapporter.

* * *

Elle avait du chagrin parce qu'elle se croyait inconsolable.

* * *

Les femmes ne sont pas dégoûtées. Il n'y a pas de bordels d'hommes.

* * *

Les femmes de vingt ans (...) comme c'est bête, à ces moments-là ! Tout leur est dû, rien ne les étonne. Tandis que les femmes qui ne sont plus jeunes, c'est épatant : elles n'en reviennent pas. On dirait qu'elles ne s'y attendaient plus.

* * *

Nous nous éprenons d'une femme libre, indépendante... C'est adorable, une femme libre ! Mais dès l'instant où nous l'avons épousée, comme elle a cessé d'être libre, elle nous plaît moins.

* * *

Il y a des femmes qui sont faites pour ne

plus être aimées — et qui deviennent adorables alors — et pour toujours !

* * *

Les hommes qui sont beaux ont le droit de dénigrer les femmes. Les hommes qui sont laids n'ont pas le droit d'en dire du bien : ils n'ont eu que des femmes ordinaires.

* * *

Si nous donnions à une femme tout ce qu'elle désire, elle trouverait à désirer des choses que nous ne pouvons pas lui donner.

* * *

Ce que les femmes aiment surtout, c'est préférer.

* * *

Quand une femme qui me plaît me fait demander au téléphone, je me donne vite un coup de peigne avant d'y aller.

* * *

Quand on ment à une femme, on a l'impression qu'on se rembourse.

* * *

Si la femme était bonne, Dieu en aurait une.

* * *

Un seul amour fidèle, c'est l'amour-propre.

* * *

C'est une erreur de croire qu'une femme peut garder un secret, elles le peuvent, mais elles s'y mettent à plusieurs.

* * *

Le talon haut a été inventé par une femme qui en avait assez d'être embrassée sur le front.

* * *

Il y a celles qui disent qu'elles ne sont pas à vendre, et qui n'accepteraient pas un centime de vous ! Ce sont généralement celles-là qui vous ruinent.

* * *

Beaucoup de femmes font des façons et croient faire des manières.

* * *

C'est entre trente et trente et un ans que les femmes vivent les dix meilleures années de leur vie.

* * *

Le mur existant entre un homme et une femme qui ne se connaissent pas est plus facile à franchir que l'abîme qui se creuse entre ceux qui se connaissent trop.

* * *

Elles nous abandonnent leurs corps — convaincues que cela devrait nous suffire — alors que, précisément, cela pourrait nous suffire.

* * *

Quand elles retirent leur gant très vite, on dirait qu'elles commencent à se mettre nues.

* * *

Oui, c'est être constant que d'adorer l'amour, et ce n'est pas changer de goût que de changer de femme puisque les femmes changent.

* * *

S'aimer profondément, indissolublement — évidemment, oui, c'est beaucoup, mais c'est tout de même se contenter de peu.

* * *

Elles ont un système philosophique qui ne concerne que les hommes, mais qui tient parfaitement debout quand ceux-ci sont couchés.

* * *

Il y a chez toi quelque chose d'ingénu qui disparaît quand tu fais l'enfant.

* * *

Et si vous commenciez par cesser de mentir, mesdames, vous finiriez par croire un peu ce que l'on vous dit.

* * *

Deux femmes finiront toujours par se mettre d'accord sur le dos d'une troisième.

* * *

Chérie, je me demande si tu ne joues pas un trop grand rôle dans ta vie.

* * *

Femme, je vous adore comme on adore une édition originale, avec ses fautes.

* * *

Son corps est comme un défi d'en trouver un plus beau. Cela donne envie de chercher.

* * *

Patience ! Elles finissent toujours par nous faire une chose qui nous empêche d'avoir de l'estime pour elles.

* * *

On a les femmes dans les bras, puis un jour sur les bras, et bientôt sur le dos.

* * *

Les honnêtes femmes sont inconsolables des fautes qu'elles n'ont pas commises.

* * *

Je conviendrais bien volontiers que les femmes nous sont supérieures — si cela pouvait les dissuader de se prétendre nos égales.

* * *

Elles croient que tous les hommes sont pareils, parce qu'elles se conduisent de la même manière avec tous les hommes.

* * *

Il y a des femmes si susceptibles et qui sont tellement assoiffées d'égards qu'on n'ose pas se permettre de ne pas leur faire la cour.

* * *

Les femmes s'imaginent parfois qu'elles deviennent amoureuses d'un homme, alors qu'elles ont simplement pris en grippe la femme de cet homme.

* * *

Celles qui sont la franchise même ne disent que la moitié de ce qu'elles pensent — ou bien alors elles en disent le double.

* * *

Elles *(les femmes)* n'aiment pas (...) qu'on leur dise des choses inexactes — et, ce qu'elles préfèrent, c'est en dire elles-mêmes, sachant parfaitement que personne ne saurait faire mieux...

Les hommes aussi savent mentir, mais ils savent mentir comme les Français savent les langues étrangères : ils n'ont jamais un très bon accent.

Vous savez que jouer la comédie, c'est mentir avec l'intention de tromper ?

Eh bien, voilà la raison pour laquelle les femmes jouent mieux la comédie que les hommes — et je vais vous prouver pourquoi les actrices jouent mieux que les acteurs...

Nous, les hommes, nous éprouvons souvent le besoin — et parfois même l'impérieuse nécessité — de nous faire des têtes pour jouer certains rôles. Nous mettons des perruques, des barbes, des moustaches, des favoris, nous portons des monocles, des binocles ou des lunettes : les femmes ne le peuvent pas.

Qu'elles jouent une impératrice, une cuisinière, une fille publique, une religieuse ou une concierge, elles doivent jouer tous leurs rôles avec le même visage.

(...) Y a-t-il une femme moderne ?

Eh bien, oui, je le crois. Et c'est un fait extrêmement rare, c'est un fait qui ne s'est guère produit que trois ou quatre fois depuis le Moyen Age.

... La femme est devenue la rivale de l'homme, dans tous les arts, dans tous les sports et dans la plupart des métiers. Or la rivalité n'engendre pas l'Amour et tue la courtoisie...

Balzac disait que *la femme était une esclave qu'il fallait mettre sur un trône !*

* * *

Dire à une très jolie femme qu'elle nous plaît, c'est vouloir passer à ses yeux pour un naïf ou pour un insolent, car, de toute façon, c'est lui dire : «Vous ne plaisez qu'à moi; profitez-en, Madame !».

* * *

Après ces réflexions sur les femmes.

Ce sont des réflexions qui font dire aux femmes :

— Quel dommage qu'il n'ait pas rencontré une femme comme moi !

* * *

Comme elle avait parfois des remords, elle s'imaginait qu'elle avait du cœur.

* * *

Elle m'a dit tantôt :

— Faut-il que je sois optimiste pour pouvoir supporter mon pessimisme !

* * *

Le coquillage dans lequel une femme parlerait en l'absence d'un homme.

Rentré, il écouterait.

* * *

III

De celles que l'on épouse

Que disait La Fontaine en parlant du mariage ?
Ces quatre vers :

J'ai vu beaucoup d'hymens, aucun d'eux ne me tente.
Cependant des humains presque les quatre parts
S'exposent hardiment au plus grand des hasards...
Les quatre parts aussi des humains se repentent !

Je ne suis pas l'ennemi du mariage, au contraire, j'adore la vie à deux — mais je suis l'ennemi des mauvais mariages, car les gens mal mariés, maussades, infidèles et malheureux, font du tort à l'amour !

* * *

Chacun a sa conception personnelle du bonheur et, dame, passer deux, trois, cinq, dix, quinze, vingt ans de sa vie à se regarder dans le blanc des yeux, et à se surveiller soi-même constamment, à ne jamais dire un mot, à ne jamais faire un geste qui puisse froisser l'autre ou lui faire de la peine... c'est quelque chose d'occupant...

Mais je dois avouer que c'est ainsi que je

comprends la vie — c'est ainsi que je comprends l'amour !

* * *

Méfiez-vous des femmes qu'on épouse, car celles qui ne vous trompent pas vous le reprochent toute votre vie — comme si c'était de votre faute — alors que, le plus souvent, ce n'est même pas de la leur !

* * *

Vous avez beau l'épouser, lui donner votre nom, elle n'entre dans votre famille que du jour où elle vous donne un enfant — car elle le donne à votre père, à votre mère, à vos aïeules ce jour-là.

* * *

Déjà c'est un prodige qu'un homme et une femme *faits* pour vivre ensemble *puissent* vivre ensemble !

* * *

Ce qui fait rester les femmes, c'est la peur qu'on soit tout de suite consolé de leur départ.

* * *

Ma femme et moi avons été heureux vingt-cinq ans. C'est à cet âge-là que nous nous sommes rencontrés.

* * *

Un moment, nous avons vécu côte à côte. Plus tard nous fûmes dos à dos. A présent nous voilà face à face.

* * *

Le mariage est comme le restaurant : à peine est-on servi qu'on regarde ce qu'il y a dans l'assiette du voisin.

* * *

Le célibat ? On s'ennuie.
Le mariage ? On a des ennuis.

* * *

Vous vous plaisez à dire que je vous mets sous clef. Non, je vous mets sous verre.

* * *

Mariés depuis dix ans, pendant qu'ils font l'amour, il pense aux femmes qu'il désire, tandis qu'elle se donne aux hommes qui lui plaisent.

Il ne leur reste plus qu'à se dire merci quand tout s'est bien passé.

* * *

Essayez donc de me la prendre ! Donnerais-je ma vie pour elle ? Oh sûrement, mais qu'on ne me laisse pas le temps de réfléchir !

* * *

Lorsque tu t'éloignes en colère après moi, ton corps a l'air de te suivre à regret.

* * *

J'ai fait graver chez moi, à l'intérieur de ma porte :

— Sortie libre.

* * *

Elle s'est donnée à moi, et c'est elle qui m'a eu.

* * *

— Pense qu'un jour tous ces tableaux, ces merveilles seront à toi.
Elle a murmuré :
— Oui, mais quand ?

* * *

Faire des concessions ?
Oui, c'est un point de vue — mais sur un cimetière.

* * *

Elle m'a dit :
— Quand tu seras vieux (quatre-vingt-cinq ans), on ira tout le temps en avion tous les deux pour que nous ne manquions pas l'occasion de mourir ensemble.

* * *

Il prêtait de temps en temps des mots spirituels à sa femme pour qu'il ait une petite raison de ne pas s'en séparer.

* * *

Il y a devant l'amour trois sortes de femmes: celles qu'on épouse, celles qu'on aime et celles que l'on paie. Ça peut très bien être la même : on commence par la payer, on se met à l'aimer, puis on finit par l'épouser.

* * *

Il avait épousé sa vieille maîtresse pour n'être pas tenté de faire un jour ou l'autre un mariage d'amour.

* * *

Si ta femme, si ton mari te trompe, c'est qu'elle a, ou qu'il a voulu être un peu plus heureux, ou heureuse, et tu n'as pas le droit de l'en punir.

* * *

N'épouse pas une femme qui a vingt ans de moins que toi, car c'est courir deux risques : qu'elle te quitte ou bien qu'elle reste.

* * *

A force de vivre constamment avec quelqu'un sans jamais s'en éloigner un instant, on finit par oublier un peu sa silhouette. Gare au jour où, vous étant arrêté un instant pour refaire le nœud de votre soulier, votre compagne vous aura dépassé de quelques mètres ! Gare à ces quelques mètres qui vous séparent !

Elle est de dos... elle marche lentement... vous l'observez... La suivriez-vous, si vous n'étiez pas obligé de la rejoindre ?

* * *

Il faut courtiser sa femme comme si jamais on ne l'avait eue... il faut se la prendre à soi-même.

* * *

C'est très joli, la fidélité, mais c'est une arme à double tranchant. Combien de gens se croient tout permis dans leur mariage sous le prétexte qu'ils sont fidèles !

* * *

Quand on a vingt ans de plus qu'une femme, c'est elle qui vous épouse.

* * *

Si vous étiez un homme, je vous dirais : «ne vous mariez pas». Mais vous êtes une femme et vous êtes obligée de vous marier... Alors je vous dis : «mariez-vous et n'oubliez pas qu'il y a deux façons de comprendre le mariage : en n'y attachant aucune importance ou bien en y attachant une importance considérable».

* * *

Quand tu fais celle qui est en prison et que tu me traites comme un geôlier, tu me fais me souvenir que les geôliers passent en prison leur vie.

* * *

Une comédie qui se termine par un mariage, c'en est une autre qui commence — ou bien, un drame.

* * *

Et ce n'est pas être un rabat-joie que de dire à son fils : «Oui, tu as peut-être rencontré ta femme ce jour-là — mais ce n'est peut-être pas *ta* femme que tu as rencontrée ce jour-là !»

Chéri, l'homme à vingt ans cherche déjà sa femme — tandis que la femme, elle, cherche un mari.

Je ne t'en dis pas davantage, mais je te supplie de te poser la question suivante : «Est-ce bien elle qui m'a plu, elle, en personne, et n'était-ce pas plutôt l'Amour qui me chantait ce matin-là ?»

* * *

Hélas !

On ne peut pas faire leur bonheur — de force.

Et celles que nous ne rendrons pas heureuses à notre idée, sauront nous rendre malheureux à leur façon.

* * *

Comment les hommes peuvent-ils vivre sans toi !

* * *

Tu me plais tellement que, quand il t'arrive de n'être pas jolie, je te trouvc belle.

* * *

Dis, veux-tu que ce soit pour la vie ?
Nous verrons bien le temps que cela durera.

* * *

L'aimée, c'est l'élue — et dire à une femme qu'on l'aime, c'est dire à toutes les autres qu'on ne les aime pas.

D'ailleurs, quand une femme est élue — toutes les autres devraient prendre le deuil.

IV

De celles que l'on quitte ou qui sont infidèles

Qu'est-ce que ça peut fiche qu'il ait une jolie femme ! Entre hommes, on ne se complimente que sur ses maîtresses.

* * *

Je devrais me marier... parce que moi, il faut que je trompe quelqu'un.

* * *

Que reste-t-il d'un homme infidèle ? Son nom, sa situation, sa fortune, trois choses dont bien des femmes savent se contenter.

* * *

— Tu m'as trompée avec cette femme !

— Je te trahis bien davantage quand je suis seul.

* * *

Je crois aux divorces de raison.

* * *

Allons, faisons la paix, veux-tu, séparons-nous.

* * *

On devrait avoir le courage de tromper de temps en temps les jolies femmes avec des femmes qui ne sont pas jeunes et qui sont laides. Ça leur apprendrait à vivre.

* * *

C'est un cocu et c'est pour cela que je le trompe.

* * *

Je ne cesse de penser que je ne pense plus à toi.

* * *

Elle est rentrée chez elle et lui est rentré chez lui :

— A demain, mon chéri.

— Bonne nuit, mon amour.

— On se téléphonera, si tu veux, au réveil.

Ils se sont fait inscrire aux abonnés absents.

* * *

Nous cessons de les aimer quand elles ne savent plus par quel bout nous prendre.

* * *

Depuis trois ou quatre jours, dans la crainte d'une réconciliation, ils évitent soigneusement tout sujet de dispute.

* * *

Il y a des femmes dont l'infidélité est le seul lien qui les attache encore à leur mari.

* * *

Tromper, trahir, oui, c'est affreux, mais c'est mal aussi de rester fidèle, car c'est enchaîner l'autre.

* * *

L'optimiste :

— Elle est en retard, c'est qu'elle viendra.

* * *

J'ai vu faire à une femme infidèle une chose qui m'a souverainement déplu.

D'abord elle avait été infidèle — et déjà cela ne m'avait pas plu — mais, en outre, elle tournait en ridicule la prononciation et certaines façons de s'exprimer de son amant — et cela, elle le faisait dans l'espoir de détourner les soupçons de son mari. Et c'était fort antipathique, car, en somme, elle privait sa faute de la seule excuse qu'elle pouvait avoir : l'aveuglement.

* * *

A l'égard de celui qui vous prend votre femme, il n'est de pire vengeance que de la lui laisser.

* * *

Ce qui les inquiète toutes — à leur propre sujet — c'est la facilité avec laquelle je me console du départ de la précédente.

* * *

J'imagine un cocu disant :
— Ce qui m'exaspère, c'est de penser que ce monsieur sait maintenant de quoi je me contentais !

* * *

Si les femmes savaient combien on les regrette, elles s'en iraient plus vite !

* * *

N'est pas cocu qui veut.
Et nous ne devons épouser que de très jolies femmes si nous voulons qu'un jour on nous en délivre.

* * *

Quand je te pose une question qui t'embarrasse, tu la répètes toujours avant de me répondre.
Si je te demande :
— Qu'est-ce que tu as fait de 5 à 6 ?
Tu te reposes la question :
— Ce que j'ai fait de 5 à 6 ?
C'est ainsi que tu prends ton élan pour mentir.

* * *

Tu as un charme irrésistible — en ton absence — et tu laisses un souvenir que ton retour efface.

* * *

Je ne sais rien de plus triste — ou de plus inquiétant — que le visage d'une femme qui ne sait pas qu'on la regarde.

* * *

Ils se sont séparés tout à coup, hier au soir, pour un mot — pour un mot sur lequel il s'est précipité, tellement il craignait qu'elle ne le retirât — alors qu'elle était prête à le lui répéter.

Ils se sont séparés comme s'ils n'avaient plus une minute à perdre — comme s'ils se trouvaient sur le quai d'une gare.

* * *

Il faut s'amuser à mentir aux femmes.

On a l'impression qu'on se rembourse.

* * *

Elle était journalière — plusieurs fois par jour.

* * *

Mesdames, il nous est difficile de revenir aussi vite que vous sur les décisions que vous prenez.

* * *

Abstenez-vous de raconter à votre femme les infamies que vous ont faites celles qui l'ont précédée.

Ce n'est pas la peine de lui donner des idées.

* * *

Etre marié, avoir une maîtresse — et tromper celle-ci avec n'importe quelle créature, cela donne un peu l'impression qu'on redevient fidèle à sa femme, paraît-il.

* * *

Quand nous en avons par-dessus la tête, nous allons jusqu'à leur reprocher cette facilité avec laquelle nous les avons eues — dont nous avions été pourtant si fiers !

* * *

Son inconduite ne laissait rien à désirer : elle donnait tout.

* * *

Combien d'admirables actrices ont été d'excellentes courtisanes !

* * *

On dit un galant homme, et on dit une femme galante.

Un galant homme, c'est exquis — et une femme galante, c'est horrible.

* * *

Une personne qui partageait la vie de mon père et qui, ce jour-là, depuis une heure l'insupportait par ses questions, ses allusions et ses reproches, reçut une gifle magistrale, inattendue. Médusée, la personne s'écria :

— Oh ! Mon Dieu... j'ai peur !

Mais il lui dit, très vite et comme pour la tranquilliser :

— N'aie pas peur, je suis là !

* * *

On dit d'un homme qu'il est cruel quand il n'aime plus; c'est inexact, c'est quand il aime qu'il est cruel — mais parce qu'il aime une autre femme.

* * *

Le divorce, voilà la solution — par excellence durable — puisqu'en fait elle doit durer toute la vie !... Et convenez avec moi que si les divorces avaient lieu à l'église... en musique, avec chœurs, tous cierges allumés, le divorce deviendrait alors un sacrement — et ce serait justice — et ce serait très beau — parce que c'est très beau de recouvrer sa liberté — en demandant à Dieu de bénir la rupture qu'il vient de consacrer.

* * *

Un homme raconte à un ami que sa femme se désole parce qu'elle vieillit.

Il lui demande conseil. L'ami lui dit :

— Si tu veux lui faire plaisir, fais-lui une scène de jalousie !

Par bonté, il le fait.

Et elle lui avoue qu'il est cocu.

* * *

L'adultère qui, dans le Code civil, est un mot immense, n'est dans le fond qu'une affaire de bal masqué.

L'adultère n'est pas un phénomène, c'est une affaire de canapé, et il est très commun.

* * *

Quand elles sont infidèles, les femmes ne comprennent pas que l'on attache tellement d'importance à leurs trahisons.

Mais, quand elles sont fidèles, elles sont surprises que l'on n'attache pas une plus grande importance à leur fidélité.

Cela tient à ce qu'elles se considèrent assez irresponsables des fautes qu'elles ont commises. Elles leur trouvent bien des excuses et parfois même d'assez bonnes raisons — tandis que leur fidélité leur apparaît comme une action d'éclat renouvelée chaque jour.

* * *

Tout le monde est de mauvaise foi en amour.

Il faut bien mentir, puisqu'on trahit. On ment par pitié, par colère, par fatuité.

Et puis, on ment pour mentir, par habitude, par veulerie.

Je condamne le mensonge lorsqu'il nuit à autrui ou qu'il profite à celui qui le commet. En revanche, quand il n'est pas préjudiciable, il m'intéresse et, surtout, quand il est imposé par les circonstances, je l'excuse — et même quelquefois, je le pratique.

V

Des uns et des autres

LUCIEN GUITRY ET SES SILENCES

Mon père fut le plus grand comédien de son époque, or, les «temps», c'est-à-dire les silences qu'il prenait en scène, sont restés fameux.

Avant de donner une réplique, il lui arrivait parfois de rester une demi-minute sans parler — et c'était saisissant.

Il jouait un jour une pièce dramatique d'un auteur célèbre, et quelqu'un le complimenta en ces termes :

— Quand vous dites le texte, Monsieur Guitry, vous êtes merveilleux... mais c'est dans les silences que vous êtes particulièrement admirable !

Et Lucien Guitry répondit :

— C'est parce que les silences sont de moi !

A la campagne, l'administrateur du théâtre lui télégraphie : «M. Jean (1) demande de l'argent. Dois-je marcher ?» Mon père a télégraphié : «Marchez, mais sur la pointe des pieds.»

M. DE SAINT-ANGE BAUTIER, ÉDUCATEUR

En 1891, à l'âge de six ans, je suis entré chez M. de Saint-Ange Bautier, 15, rue Saint-Ferdinand, aux Ternes.

M. de Saint-Ange Bautier, comme éducateur, n'avait pas de grandes prétentions. Il enseignait à lire et à écrire, c'était tout. De ce fait, il n'avait pour élèves que des enfants en bas âge.

Il portait une longue barbe noire et des lunettes d'or qui semblaient faire partie de son visage austère. Il ne les retirait jamais complètement. Je parle de ses lunettes. Parfois, au cours d'une leçon, il les soulevait et les posait sur son front pâle, afin de pouvoir essuyer ses yeux — ses yeux qui nous paraissaient minuscules.

---

(1) Jean Guitry, le frère de Sacha.

D'une élévation brusque de ses sourcils, M. Bautier pouvait remettre ses lunettes en place — et il reprenait la leçon.

Il paraissait n'avoir pas de santé, sa patience était sans bornes et je n'ai jamais vu de ma vie un homme plus triste et plus doux que M. de Saint-Ange Bautier. Mais nous n'étions pas en âge d'apprécier la patience. Et comme il nous questionnait sans cesse et que ses questions ne différaient guère, je m'étais mis cette idée en tête qu'il ne devait rien savoir, ne pouvant rien retenir.

Il nous demandait :

— Combien font deux et deux ?

Tous en chœur, nous répondions :

— Quatre !

Et je pensais : «Voilà trois jours de suite que nous le lui disons. Il l'a encore oublié !»

MONSIEUR FRANCE

Voici la Béchellerie que France habitait aux environs de Tours... Le voici, lui, dans son cabinet de travail, rangeant ses beaux livres...

Reconnaissez le long visage et ces grands yeux pleins de lumière... Cheveux blancs, barbe blanche... Et courtoisie dans tous ses gestes...

Or, ce jour-là, bien entendu, Monsieur France a dit des choses ravissantes, puisqu'il a parlé. A une jeune femme qui entrait chez lui et qui lui déclarait : «Oh, Monsieur France, comme vous avez bonne mine !» il a répondu : «Mais oui, mais si j'avais vingt ans, vous ne me le diriez pas».

AURÉLIEN SCHOLL, LES MOUCHARDS ET LES PHILOSOPHES

Je venais de passer une heure avec l'homme le plus spirituel de l'époque : Aurélien Scholl.

Journaliste de la vieille école, il n'avait qu'une médiocre estime pour notre moderne journalisme d'information, et il ne ménageait pas ses expressions quand il parlait de ses jeunes confrères qui faisaient des interviews, ou poursuivaient comme des limiers des enquêtes criminelles.

Un jour, un monsieur se plaignait devant Scholl et ses amis de la pauvreté de la langue française.

— Ainsi, disait-il, vous êtes obligé d'emprunter des mots aux Anglais. Vous n'avez point l'équivalent, par exemple, de *reporter*. En connaissez-vous ?

Les assistants cherchaient... Alors Aurélien Scholl, dans le silence :

— Oui, il y a mouchard.

On parlait un jour d'une femme célèbre par ses galanteries, et que l'on soupçonnait d'être atteinte d'une maladie... mystérieuse.

— Je l'ai connue, dit Scholl. Je l'ai même beaucoup aimée. Pendant longtemps, je n'eus qu'un rêve : posséder cette femme et mourir ! Eh bien, je l'ai eue... et je n'en suis pas mort...

Au cours d'une réunion publique, un candidat à la députation, dans un élan d'éloquence, s'évertuait à convaincre ses électeurs de la nécessité chaque jour plus impérieuse, selon lui, de perfectionner nos institutions et de «refaire la France».

Présent à la séance, Scholl, dans son coin, soupira :

— «Refaire» la France ! c'est admirable... Comme si la France n'avait pas toujours été «refaite» !

Le philosophe Victor Cousin rencontra un jour à la Maison Dorée (comment s'était-il hasardé jusque-là ?...) Aurélien Scholl entouré comme toujours d'une joyeuse compagnie. Présentations. La conversation s'engage et Cousin en arrive à dire de son ton brusque :

— Je n'aime pas l'esprit, Monsieur.

— Je le sais, Maître, répond Scholl en souriant, j'ai lu vos œuvres.

BISSON ET MARIÉTON

Il y avait un auteur dramatique très connu, très aimé et qui fit des pièces extrêmement drôles. Il se nommait Alexandre Bisson.

Or, cet homme d'un très grand talent était bègue. Pourtant il ne voulait pas laisser à d'autres le soin de lire ses pièces. Un nouveau directeur de théâtre qui connaissait beaucoup le nom de Bisson, mais qui ne connaissait pas M. Bisson lui-même, lui demanda, par lettre, s'il pouvait lui donner une pièce pour son théâtre.

Bisson accepta et rendez-vous fut pris. Bisson s'y rendit, son manuscrit sous le bras. Aussitôt introduit dans le cabinet du directeur, celui-ci se leva, lui serra la main, le fit asseoir et lui dit : «Je vous écoute». Bisson n'avait pas eu le loisir de placer un mot. Il commença de lire sa pièce en bégayant comme il parlait. Le directeur écouta tout le premier acte non sans donner, malgré sa politesse, des signes nombreux d'impatience. Lorsque Bisson eut terminé la lecture du dernier acte, le directeur lui dit :

— Ecoutez, Monsieur Bisson, votre pièce est très drôle, mais tous ces personnages qui bégaient, je trouve cela insupportable.

Alors, Bisson lui répondit :

— Ce ne sont pas mes personnages qui bégaient, c'est moi.

Bisson était, d'ailleurs, un homme très spirituel et, un jour, il me dit :

— Tout à l'heure, j'ai entendu, dans la rue, un bègue qui disait à un cocher : «Menez-moi 23, rue de Courcelles...». Eh bien, je ne l'ai pas aidé, je n'ai pas dit au cocher de le mener rue de Courcelles.

Il est, d'ailleurs, à noter que la plupart des bègues sont spirituels.

L'un d'eux s'appelait Mariéton. Un jour, un homme l'accoste dans la rue et lui demande de lui indiquer où se trouve l'église Sainte-Clotilde. Alors, il lui répond :

— Prenez la première rue à gauche, la deuxième rue à droite, tournez après le grand bâtiment qui est à droite...

Alors le monsieur lui dit :

— C'est horriblement loin.

Et Mariéton lui répond :

— Non, non, non et vous y seriez déjà si vous aviez demandé le renseignement à un autre.

Un autre jour, étant à la salle de jeu dans une ville d'eaux, il eut une altercation avec un homme mal élevé et lui dit :

— Monsieur, vous êtes un malotru.

— Un malotru, dit l'autre, retirez immédiatement ce mot.

Mariéton lui répond :

— Ah ! non, j'ai eu trop de mal à le dire.

ONCLE EDMOND ET SA BARBE

Notre oncle Edmond était un être exquis, d'une infinie bonté et d'un esprit semblable à celui de son frère. C'était la droiture même et la logique en personne.

Succédant à son père, il vendait des rasoirs et du savon à barbe. Quand un client lui demandait si ce «fameux savon» était vraiment meilleur que les autres, il répondait :

— Depuis trente ans, je ne me sers que de celui-là.

Or, il portait toute la barbe — mais aucun client jamais ne songea à lui en faire la remarque.

TANTE VALENTINE ET SA SANTÉ

Notre tante Valentine était à cette époque professeur de piano. Elle avait remporté le premier prix au concours du Conservatoire, en 1867. Elle a aujourd'hui quatre-vingts ans et il est impossible de tolérer la vieillesse avec plus d'esprit, plus de philosophie souriante et de meilleure grâce.

Dernièrement, je lui ai demandé :

— Ta santé ?

Elle m'a répondu :

— J'en ai bien assez pour mon âge !

Quand elle était plus jeune, elle était très distraite. Un jour, raccompagnant son frère jusqu'à sa porte, elle lui avait dit en l'embrassant :

— Au revoir, ma petite fille, et enfoncez bien votre quatrième doigt.

L'habitude des élèves.

UN DÉFUNT IMPORTUN

Nous avions un parent pour lequel mon père avait peu d'amitié. Le pauvre homme mourut un jour — et nous l'avons accompagné jusqu'à sa dernière demeure qui était extrêmement éloignée de la précédente. Il avait fallu se lever de grand matin, il faisait extrêmement chaud et nous marchions depuis bientôt une heure, lorsque mon père se tourna et me dit, à voix basse, d'une inexprimable manière :

— Je commence à le regretter !

ALFRED JARRY, LE PÈRE DE PÈRE UBU

Alfred Jarry est l'auteur d'*Ubu roi*. *Ubu roi* fut, à sa création, considéré comme un chef-d'œuvre. La pièce avait été conçue pour être représentée par des marionnettes, mais le succès fut tel qu'on la joua réellement quelques semaines plus tard, au théâtre de l'Œuvre, sous la direction de Lugné-Poë. Gémier interprétait le Père Ubu et l'admirable Louise France était la Mère Ubu. Ce fut un triomphe — et un scandale, ou bien ce fut un scandale — et un triomphe. L'un étant la conséquence de l'autre.

Est-ce un chef-d'œuvre ?

Question d'ailleurs assez oiseuse. Mais il me paraît bien que c'est le chef-d'œuvre du genre.

Quel est ce genre ?

Il est précisément très difficile à définir, car ce n'est ni de l'humour ni de la parodie. Il ne s'apparente à aucune forme littéraire. Il est en outre sans exemple, et les imitations qu'on en a faites me semblent trop préméditées pour lui être seulement comparées.

Pourtant, s'il me fallait absolument classer ce phénomène, je lui assignerais une place d'honneur parmi les caricatures excessives, parmi les charges les plus puissantes, les plus originales qui aient jamais été faites. Oui, je crois bien que *Ubu* est une énorme charge, avec tout ce qu'une charge peut comporter de couleur, de relief et d'esprit.

Quoi qu'il en soit, la pièce débute par cette foudroyante réplique que le Père Ubu lance à la Mère Ubu :

— Mère Ubu, pourquoi êtes-vous si laide, ce soir ?... Est-ce qu'il y a du monde à dîner (1) ?

---

(1) En vérité, cette réplique appartient à la scène II, qui débute ainsi :
Mère Ubu. — Eh ! nos invités sont bien en retard.
Père Ubu. — Oui, de par ma chandelle verte. Je crève de faim. Mère Ubu, tu es bien laide aujourd'hui. Est-ce parce que nous avons du monde ?

Au cours de la pièce, Jarry use d'un mot que le général Cambronne immortalisa — et qui le lui rendit. Or, notre auteur trouvait qu'il manquait à ce mot quelque chose : une lettre. Il disait :

— Il commence bien, mais il finit mal. Il lui faudrait un autre *r !*

Il l'ajouta — et dans la bouche de ses personnages le mot fameux se terminait par ces trois lettres : *d, r, e.*

Le soir de la première, lorsque pour la sixième ou septième fois le mot fut prononcé sur scène, à la manière de Jarry, un spectateur spirituel, M. Albert Gillou, fit rire toute la salle en répondant de son fauteuil :

— Mangre !

Revenons à Jarry lui-même.

Il vivait donc dans cette masure, au bord de l'eau, quand je l'ai connu. Il était dans la misère — mais il était très difficile, quasiment impossible de faire accepter un centime à ce petit Breton fier et têtu.

Il usait les costumes de Valette et les souliers de Rachilde, qui lui témoignaient tant d'affectueuses bontés ! Il ne pouvait pas entrer complètement ses pieds dans les souliers de Rachilde, bien entendu — mais il les préférait aux souliers de Valette, à cause des talons qui le grandissaient un peu.

Il y avait, à quelques mètres de la «maison» de Jarry, un cabaret où les mariniers se désaltéraient en attendant l'ouverture des écluses. C'était là qu'il venait bien trop souvent s'asseoir. Nous allions parfois l'y rejoindre. Demolder lui dit un jour paternellement qu'il devrait s'abstenir de boire autant qu'il le faisait.

— J'y suis bien obligé !

Et il nous expliqua mystérieusement :

— Les patrons de ce bistrot n'osent pas me réclamer les sommes considérables que je leur dois depuis deux ans, parce qu'ils savent très bien qu'ils perdraient ma clientèle s'ils en exigeaient le paiement ! Mais si je restais deux jours sans venir prendre mon absinthe, ils n'hésiteraient plus et me mettraient le couteau sur la gorge. Je bois pour ne pas payer ce que je dois !

C'était d'une extrême drôlerie, mais cela désolait doublement le cher Demolder, car c'était lui qui, sans rien dire, payait chaque semaine tout ce que Jarry prenait depuis deux ans chez ce bistrot.

Il en est mort, à l'hôpital, à trente-trois ans.

Jarry était doué d'une très grande adresse à l'arc et à la sarbacane, aussi bien qu'au pistolet.

Monté sur le toit de sa maison, il s'amusait un jour à «tirer» les pommes d'une voisine. Elle poussa des cris :

— Arrêtez, misérable, vous allez tuer mes enfants !

Il lui répondit :

— Je vous en ferai d'autres, Madame !

Nous étions allés ensemble à la répétition générale des *Travaux d'Hercule.* Demolder et Jarry avaient une carte de Claude Terrasse : «Veuillez placer le mieux possible deux personnes». Mais quand le contrôleur vit dans quel accoutrement elles se trouvaient, ces deux personnes, il hésita à les placer aux fauteuils d'orchestre. Demolder portait un costume de velours côtelé beige clair, il était coiffé d'un bonnet de fourrure et il avait à la main une canne de gardien de troupeaux. Jarry était en complet de toile blanche — pas très blanche — et il s'était fait lui-même une chemise avec du papier. La cravate était peinte à l'encre de Chine.

Le contrôleur et l'administrateur s'étaient dit quelques mots à l'oreille, et ils octroyèrent prudemment à Jarry et à Demolder deux fauteuils de première galerie.

Arrivés tout là-haut, ils s'installèrent sans mot dire — mais Jarry préparait sa vengeance.

Lorsque le chef d'orchestre apparut à sa place, quand, les bras en croix, il obtint enfin le silence désiré — on entendit dans ce silence la voix polichinesque de Jarry qui disait lentement :

— Je ne comprends pas qu'on laisse entrer dans une salle de théâtre les spectateurs des trois premiers rangs avec des instruments de musique !

ALPHONSE ALLAIS, RENARD, SHAKESPEARE ET LE VENT

Parmi les mots d'Allais les plus frappants et les plus fins, je me souviens de celui-ci.

La nouvelle promotion de la Légion d'honneur venait de paraître. Jules Renard y figurait, mais il était mal entouré. Il y avait là deux ou trois écrivains qu'on aurait pu très bien ne pas décorer. Allais venait d'ouvrir son journal. Il s'écria :

— Oh ! vous avez vu... ce pauvre Renard qu'on a décoré dans une rafle.

Il disait :

— La preuve que Shakespeare n'a pas écrit lui-même ses pièces, c'est qu'on l'appelait Willy.

Il disait aussi :

— Comme ils sont bizarres, les Anglais. Alors que nous, Français, nous donnons à nos places, à nos rues, à nos avenues des noms de victoires : rue de Rocroy, place d'Iéna, avenue de Wagram... eux, les Anglais, ils leur donnent des noms de défaites : Trafalgar-Square, Waterloo Place...

Venant de Tamaris, nous allions à Toulon chaque jour tous les deux, et nous passions de longues et délicieuses heures aux terrasses débordantes des cafés, sur le port.

Un jour que le mistral soufflait, Allais dit au garçon en s'asseyant, et avec cet imperturbable sérieux qu'il ne quittait jamais :

— Garçon, deux vermouths-grenadine... et un peu moins de vent, s'il vous plaît !

LAURENT TAILHADE OU L'ARROSEUR ARROSÉ

Pamphlétaire redoutable — et redouté d'ailleurs — dont Verlaine a chanté la langue richissime. Mais poète avant tout — poète en vers, poète en prose, et dans ses lettres, et dans sa vie.

Très grand ami à moi — que j'aimais tendrement — parce que c'était lui, parce que c'était moi, comme disait Montaigne — et puis sans doute aussi parce qu'il faisait peur à ceux qu'il n'aimait pas — et que je détestais.

Anarchiste — il passa six mois à la Santé pour une phrase restée fameuse. Lorsque le 9 décembre 1893, Vaillant, jetant sa bombe en pleine Chambre des députés, blessa grièvement plusieurs parlementaires, Tailhade s'écria :

— Qu'importe de vagues humanités, pourvu que le geste soit beau !

A quelque temps de là, alors qu'il dînait chez Foyot, seul avec sa maîtresse, une bombe fut lancée — lancée par la police, a prétendu Tailhade — et qui, pulvérisant la vitre extérieure, arracha l'œil droit du poète.

Dois-je dire que les journaux, le lendemain matin, ne se sont pas privés de poser la question :

— «Eh ! bien, M. Tailhade, le geste a-t-il été beau ?»

OCTANE MIRBEAU A SA DERNIÈRE MINUTE

Depuis deux ans déjà la santé de Mirbeau nous tourmentait beaucoup. Il se voûtait, se sentait las à son réveil, traînait un peu la jambe et était haletant.

Il prévoyait sa fin prochaine, en parlait volontiers, et cela nous torturait, Monet et moi, qui l'aimions tendrement.

Il en parlait, comme il parlait de toute chose, avec une évidente curiosité et le plus vif intérêt. Même il nous fit un jour cette singulière déclaration :

— C'est Robin (1) qui me soigne... alors, je suis tranquille, je ne mourrai qu'à la dernière minute.

Eh bien, il ne se trompait pas, et Robin même alla plus loin.

A BECQUE ET A GRIFFES

L'auteur de *La Parisienne,* Henry Becque, avait la réputation — justifiée d'ailleurs — de dire des mots cruels.

---

(1) Robin, médecin réputé de l'époque.

Il a dit, en effet :

— Méfie-toi de ton premier mouvement... c'est le bon !

SARAH LA DISTRAITE

Mme Sarah Bernhardt recevait dans sa loge une dame qu'elle connaissait peu.

Cette dame voulait attirer sur elle l'attention de Mme Sarah Bernhardt qui se maquillait. Elle lui fit part de la mort de son mari, puis de sa mère et de sa fille. Mme Sarah Bernhardt continuait à se maquiller en murmurant:

— C'est effrayant !

Jugeant probablement insuffisante la part qu'elle prenait à son malheur, cette dame ajouta :

— J'ai aussi perdu dernièrement mes neveux et ma sœur... et mon père vient de mourir !

Ayant ainsi supprimé sa famille, elle conclut :

— J'en suis à me demander si je ne ferais pas mieux de me tuer.

Mme Sarah Bernhardt, qui ne l'écoutait plus, lui répondit distraitement :

— C'est une bonne idée...

VOLTAIRE, LA MORT ET LE JEUNE HOMME

Voltaire (...) au déclin de sa vie, dit un jour ceci : «Je m'arrêterais de mourir s'il me venait un bon mot !»

Dès lors on se demande s'il n'est pas mort dans un moment de distraction.

Et enfin, ce mot que je trouve admirable :

Voltaire prend en flagrant délit sa très vieille maîtresse avec un tout jeune homme. Il fait «Oh !» et il ajoute :

— Oh ! Jeune homme... vous... et vous n'y étiez pas obligé !

FONTENELLE AU RÉVEIL

Fontenelle est mort à cent ans et nous lui devons une des plus jolies phrases de la langue française, celle-ci :

— De mémoire de rose on n'a vu mourir un jardinier !

On lui demandait un jour s'il n'avait jamais eu envie de se marier. Il a répondu :

— Si, quelquefois... le matin.

CHAMFORT LE COMBLÉ

Un homme très riche lui offrait un jour de lui venir en aide.

— Je vous remercie, lui dit Chamfort, mais je n'ai pas besoin de ce qui me manque.

LE DIABLE BOITEUX (Talleyrand)

Il a dit :

— La parole a été donnée à l'homme pour déguiser sa pensée !

Le jour de l'exécution du duc d'Enghien, il a dit :

— C'est pire qu'un crime, c'est une faute !

Il disait de Châteaubriand :

— Il croit qu'il devient sourd parce qu'il n'entend plus parler de lui.

Une dame lui demandait un jour, à lui qui boitait :

— Comment allez-vous ?

Il lui a répondu, à elle qui louchait :

— Comme vous voyez, Madame !

FEYDEAU FILE A L'ANGLAISE

Le jour de la première d'une pièce — d'un de ses confrères — Georges Feydeau (1), discrètement, filait avant la fin.

Un contrôleur le vit :

— Monsieur Feydeau, il y a encore un acte...

— C'est pour ça que je m'en vais, lui répondit Feydeau.

CLEMENCEAU CHEZ COURTELINE

On m'a rapporté de lui *(Georges Clemenceau)* un mot bien drôle. Il venait d'être nommé ministre de l'Intérieur. De bon matin, il arrive à l'improviste et demande aussitôt à visiter les bureaux. Le chef du personnel se propose comme guide et lui ouvre les portes.

Première porte, premier bureau : personne.

Deuxième bureau : personne encore...

Troisième bureau : personne, toujours...

Quatrième bureau, enfin quelqu'un... mais l'employé y termine sa nuit : il dort !

---

(1) Sacha Guitry attribue aussi cette histoire à Tristan Bernard. (N. de l'E.)

Le chef du personnel se précipite et Clemenceau l'arrête :

— Ah ! non... ne le réveillez pas, il s'en irait.

«QUAND VOUS SEREZ BIEN VIEILLE» *(Forain)*

Au cours d'un dîner, le sujet de la conversation étant la vieillesse, une dame d'un certain âge — certain pour tout le monde, d'ailleurs — déclara soudain :

— Moi, quand je me sentirai vieille... voilà ce que je ferai...

Elle pointa son index sur la tempe. Forain, alors, commanda :

— Feu !

ALFRED CAPUS ET SES COUPS

Si l'on devait faire un livre sur les mots d'esprit, il conviendrait de consacrer un chapitre entier à Alfred Capus... Il m'a été donné de dîner avec lui des centaines de fois, chez mon père. Lorsque Capus était en verve, les mots d'esprit venaient les uns après les autres — mais ce n'était pas comme un fusil à répétition : ses mots n'avaient pas tous la même portée.

Il y avait des coups de feu, des coups d'épingle, des fusées — jamais des coups de poings ni des coups de poignard...

Quelqu'un lui dit un jour :

— Gaudillot est mort... et on ne sait pas de quoi il est mort.

— On ne savait pas non plus de quoi il vivait, répondit Capus.

D'un homme parvenu à une grande situation, il disait :

— Il est arrivé, oui... mais dans quel état !

Deux dames, un jour, dans un salon, lui demandaient :

— Mon cher Maître, nous venons de faire un pari... quel âge avez-vous ?

— Cela dépend de vos intentions, Mesdames !

Arthur Meyer, directeur du *Gaulois,* était complètement chauve et rhumatisant, d'autre part.

Un jour, par téléphone, il dit à Capus :

— J'ai très mal au genou.

Et Capus lui répond :

— Un peu de migraine, sans doute !

Il disait :

— On ne doit se résigner qu'au bonheur.

Une dame lui dit un jour :

— Votre ancienne maîtresse voulait se tuer pour vous, n'est-ce pas, Monsieur Capus ?

— Non, elle voulait me tuer pour elle !

Il disait :

— Je veux bien être embêté par les femmes... mais pas tout le temps par la même.

Un jour, un de ces hommes pénétrés d'eux-mêmes et qui se croient «profonds» déclarait à Capus et comme si c'était le résultat d'une longue méditation :

— Mon cher Capus, tout est dans tout !

— Oui, et réciproquement, lui répondit Capus.

VI

De-ci et de-là

Il y a des gens qui augmentent votre solitude en venant la troubler.

Loin de la partager ainsi qu'ils le prétendent, ils la doublent au contraire — et, même, ils la corrompent en y mêlant la leur.

* * *

Il faut se faire aussi des serments à soi-même — et, ceux-là, les tenir.

* * *

Redouter l'ironie, c'est craindre la raison.

* * *

Etre privé de quoi que ce soit — quel supplice !
Etre privé de tout — quel débarras !

* * *

La vie quotidienne est un peu comme un bal masqué.

Nos sentiments et nos travers sont là, fardés et travestis — les uns portant parfois les costumes des autres.

Artifices, faux-nez, sabres de bois, postiches — tout l'arsenal de la Maison Hypocrisie est de la fête !

Notre ruse est en Ingénue — notre caprice est en Amour — notre timidité se masque d'Arrogance — et notre vanité se met en Modestie.

Mais ce n'est pas encore assez : notre vulgarité s'attife en Roi Soleil — notre avarice enguenillée prétend qu'elle est l'Enfant Prodigue — et notre lâcheté s'habille en Matamore !

Oui, déguisés, tous ils sont là — et nous sommes les seuls à ne pas les reconnaître.

* * *

On peut pleurer pendant deux jours — on ne peut pas rire pendant deux heures.

Dame ! Ce sont les autres qui vous font rire — tandis que c'est sur soi qu'on pleure.

* * *

Etre assez intelligent, c'est n'être pas assez intelligent précisément.

Etre à moitié quoi que ce soit d'ailleurs est inutile — car c'est toujours l'autre moitié qui fait défaut.

* * *

Ah ! Que les hommes ont donc la mémoire courte — et se peut-il qu'en devenant des pères ils oublient aussitôt qu'ils ont été des fils !

* * *

Cet homme vous ennuie ?

Rendez-lui donc service — et vous en serez débarrassé.

* * *

L'un des mensonges les plus fructueux, les plus intéressants qui soient, et l'un des plus faciles en outre, est celui qui consiste à faire croire à quelqu'un qui vous ment qu'on le croit.

* * *

Cette diversité parfois si monotone de la vie !

* * *

Vos amis qui vous prédisent des malheurs en arrivent bien vite à vous les souhaiter — et ils les provoqueraient au besoin pour conserver votre confiance.

* * *

Ecoles : établissements où l'on apprend à des enfants ce qu'il leur est indispensable de savoir pour devenir des professeurs.

* * *

Sa mort l'a fait connaître.
Il peut revenir maintenant.

* * *

Un homme qui ne demande jamais de service à personne finit par se faire la réputation d'un homme qui n'en rend pas.

* * *

Pourquoi, dans les villes où l'on passe, s'applique-t-on à choisir douze cartes postales différentes — puisqu'elles sont destinées à douze personnes différentes ?

* * *

Il y a des gens qui parlent, qui parlent, qui parlent — jusqu'à ce qu'ils aient enfin trouvé quelque chose à dire.

* * *

Se méfier des vieux qui disent : «Place aux jeunes !»

Ils n'ont qu'à s'en aller, s'ils aiment tant les jeunes !

Or, il faut observer que ceux qui disent : «Place aux jeunes !» ne leur offrent jamais que la place des autres.

* * *

Pour son malheur — hélas ! — l'homme qui s'abstient d'avoir une opinion devient bientôt suspect à tous les partis.

* * *

Certes, il y avait à Drancy le dessus du panier à salade — mais il faut avouer que tous n'étaient pas dignes du malheur qui leur arrivait.

* * *

Il est fort indiscret de regarder quelqu'un qui dort — car c'est lire une lettre qui ne vous est pas adressée.

* * *

Il y a des êtres prédestinés — qui peuvent parvenir à tout en faisant diamétralement le contraire de ce qu'on leur conseille.

* * *

Si vous êtes un jour traité de parvenu, tenez pour bien certain que vous serez arrivé.

* * *

Nous sommes loin de nous douter des services que pourraient nous rendre nos défauts — si nous savions les mettre en œuvre.

* * *

Ce qui ne tolère pas la plaisanterie supporte mal la réflexion.

* * *

Si vous croyez que ce n'est pas parler de soi que de donner son opinion sur autrui !

* * *

Si, lorsqu'ils prennent la parole, les idiots brusquement disaient le contraire de ce qu'ils allaient dire, ce serait ébouriffant.

Ils continueraient d'être des idiots — et ne diraient pourtant que des choses sensées.

* * *

L'intelligence incite à la réflexion — et la réflexion conduit au scepticisme.

Le scepticisme, lui, vous mène à l'ironie.

L'ironie, à son tour, vous présente à l'esprit — qui se trouve en rapport direct avec l'humour — qui fait si bon ménage avec la fantaisie !

* * *

L'ironie.

C'est le scepticisme — très à son avantage.

Etre ironique, ce n'est pas seulement douter de la clairvoyance des autres — c'est mettre en doute aussi sa propre clairvoyance à l'égard du prochain.

Et, dès lors, l'ironie est le seul témoignage de modestie qui ne soit pas entaché de vanité.

* * *

L'esprit.

De même qu'une réflexion juste a plus de rayonnements qu'une grenade n'a d'éclats, un trait d'esprit a plus de pénétration qu'une balle de mitraillette.

Une époque, cela se raconte en quelques «mots».

Méfions-nous !

* * *

L'humour.

Pour qu'une plaisanterie humoriste ait, si j'ose dire, son plein rendement, il convient que trois personnes soient en présence : celle qui la profère — celle qui la comprend — et celle à qui elle échappe. Le plaisir de celle qui la goûte étant décuplé par l'incompréhension de la tierce personne.

* * *

La fantaisie.

Les vertus sont impersonnelles — et la probité d'un coiffeur ressemble à s'y méprendre à celle d'un fruitier.

Il n'en va pas de même avec la fantaisie.

Celle d'Henry Monnier diffère essentiellement de celle d'Alphonse Allais.

Les vertus que nous pouvons avoir nous ont été prêtées — et nous devons les rendre intactes à notre mort. On les attend — pour les prêter à d'autres ensuite.

* * *

La Fantaisie, elle, n'est pas un prêt, elle est un don. Elle est un sixième sens — qui, à l'image de nos autres sens, naît, vit et meurt avec nous.

Et : «Je te lègue ma Fantaisie» — ne serait pas moins extravagant que : «Je te lègue mon odorat».

* * *

Imitez vos défauts pour vous en corriger.

Vous buvez trop d'alcool ?

Faites semblant d'être ivre — et vous en boirez moins.

Vous êtes pointilleux ?

Froissez-vous sans raison aucune — et vous rirez.

Vous êtes coléreux ?

Simulez la colère — et vous verrez combien c'est bête, la colère.

* * *

Lorsque votre moral se trouve être au plus bas, remontez le moral d'un moins heureux que vous.

Vous trouverez pour lui des arguments auxquels vous n'aviez pas songé pour vous — et dont vous ferez votre profit.

* * *

Qu'il accède au pouvoir — je n'en serais pas surpris. Il a bien des atouts en effet dans son jeu, et, même, il se pourrait qu'il devînt populaire — mais je doute qu'il ait jamais pour lui la minorité.

* * *

Il n'y a pas de gens modestes. Il y a des ratés qui ont la prétention d'être modestes — et qui font les modestes pour faire croire qu'ils ne sont pas des ratés.

* * *

Nous disons volontiers que l'avenir est à nous — mais c'est faux.

Le passé seul est vraiment nôtre.

Et il n'y a pas de présent puisque chaque instant qui s'écoule tombe dans le passé.

Le passé se nourrit des minutes présentes et c'est ainsi qu'il nous absorbe.

Donc, ce n'est pas encore assez que de dire à l'enfant :

— Songe à ton avenir.

Il faut lui dire encore :

— Prépare ton passé !

* * *

Ce qui, probablement, fausse tout dans la vie, c'est qu'on est convaincu qu'on dit la vérité parce qu'on dit ce qu'on pense.

* * *

Sois de ton temps, jeune homme — car on n'est pas de tous les temps, si l'on n'a pas d'abord été de son époque.

* * *

Revendiquons le droit de plaisanter sur tout — mais ne plaisantons pas avec l'esprit : c'est trop sérieux.

* * *

Non, non — n'être jamais parmi ceux qui haïssent.
Tâcher d'être plutôt parmi ceux que l'on hait — on y est en meilleure compagnie.

* * *

La jeunesse, ça dure quinze ans, de vingt à trente-cinq — l'âge mûr également, de trente-cinq à cinquante. Et ce qui dure le plus longtemps, ce qui peut durer le plus longtemps, c'est la vieillesse. Cela peut durer cinquante années. Donc, c'est un but. Eh ! bien, si c'est un but, il vaut mieux l'atteindre aussi vite que possible. Et c'est pourquoi les gens qui se défendent, comme ils disent, semblent souvent si ridicules. Teintures et moumoutes, artifices divers : mensonges maladroits, dont celui qui les fait seul est toujours la dupe. Il faut s'en méfier, car je pense qu'ils ont sur le moral, aussi bien que sur le physique, une influence pernicieuse.

Mais cela doit être assurément désolant de vieillir — pendant que l'on vieillit. Cela doit s'aggraver tous les jours, comme un mal incurable. On doit chaque matin se sentir un peu moins jeune que la veille. Perdre des cheveux blancs, mon Dieu, ce n'est pas grave, en somme, puisqu'on avait été contrarié de les voir blanchir, mais perdre des cheveux blonds ou bruns, des cheveux qui n'ont même pas terminé leur carrière de cheveux, c'est odieux et c'est injuste, car c'est une partie de soi-même qui meurt dans la force de l'âge.

Une ruine, c'est magnifique, et puis c'est immortel — mais je n'aurais pas voulu voir s'effriter le Forum.

Il faudrait pouvoir passer de la maturité à la vieillesse en cinq minutes. Cela se ferait comme on fait une opération. Et c'est à cela qu'on devrait employer la chirurgie esthétique. Je crois qu'elle rendrait ainsi de bien plus importants services. On vous endormirait jeune encore — c'est-à-dire : plus très jeune — et l'on se réveillerait couvert de cheveux blancs, cravate de Commandeur au cou, respecté, respectable et surtout délivré d'un souci déplorable.

* * *

Je ne serais pas éloigné de croire que certaines personnes sont attirées par la maladie, par le malheur, par le chagrin des autres.

Ce sont des personnes de nature dévouée qui ont ce qu'on appelle du cœur, qui vont aux enterrements plutôt qu'aux mariages, qui feraient volontiers quarante minutes de voiture pour voir pleurer quelqu'un.

* * *

Souvent, en affaires, des canailles volent moins d'argent que les honnêtes gens ne vous en coûtent. Pour cette raison, d'ailleurs, que les canailles savent combien ils vous volent; ils le savent d'avance — tandis que les honnêtes gens ne se rendent jamais compte du tort qu'ils vous font.

* * *

Il ne s'agit pas de savoir si l'on est plus ou moins égoïste qu'un autre.

On est égoïste, ou, plutôt, on *naît* égoïste. Ce n'est ni une qualité ni un défaut. Les falsificateurs de la vérité ont donné au mot égoïsme une signification stupide : selon eux, être égoïste ce serait tout rapporter à soi — alors que c'est le fait même de vivre.

Ego veut dire *Moi.*

Et si chaque pensée qui se formule et qui s'énonce ne commence pas obligatoirement par le mot *je,* toutes ont du moins été conçues par égoïsme.

Lorsque vous dites : «Les fleurs sont jolies...», vous dissimulez votre pensée dans le dessein simplement de la faire partager. C'est, en somme, une façon détournée d'imposer votre opinion. Si vous aviez exprimé exactement ce que vous pensiez, vous auriez dit :

— Je trouve que les fleurs sont jolies.

Oui :

— *Ego, Moi, Je...* trouve que...

* * *

Etre égoïste, c'est être vivant par soi-même.

Etre égoïste, ce n'est pas tout *rapporter* à soi, c'est faire tout *partir* de soi, c'est être scrupuleusement original...

* * *

Ce n'est pas parce qu'un jour, on a fait une action d'éclat, que, fatalement, on a mené une vie exemplaire. Tandis qu'un homme mérite de devenir illustre s'il n'a pas, pendant toute sa vie, fait de la peine à quelqu'un.

* * *

Vous êtes de ces gens qui ne prennent la vie au sérieux que lorsqu'ils sont personnellement touchés par un événement — alors qu'ils sont les premiers à en rire quand cet événement touche une autre personne !

* * *

Il avait tant de vanité, il voulait être tellement la cause ou la raison de tout que, lorsqu'il perdit l'un de ses proches, il se demandait s'il n'était pas pour quelque chose dans sa mort. Il préférait avoir des remords que de n'y être pour rien !

* * *

Les gens se mettent en noir quand ils perdent un oncle et ne se mettent pas en blanc quand ils viennent de se faire un ami pour la vie.

Les gens ont de l'estime pour les larmes. Ils croient que le chagrin les anoblit. Ils méprisent leurs rires.

VII

Des médecins, des maladies et des malades

On sourit des distractions d'un mathématicien — on frémit en songeant à celles que pourrait avoir un chirurgien.

* * *

Il est rare en effet qu'un malade ne soit pas doublement malade — car d'ordinaire on est malade d'être malade. Le moral est atteint très vite quand on souffre. On a besoin d'un réconfort — d'un réconfort que la tendresse familiale est impuissante à vous donner, car elle ne sait pas déguiser son angoisse. Or, si la même médication peut être également efficace quand il s'agit de deux ou trois personnes différentes, n'y a-t-il pas cependant deux ou trois façons différentes de l'ordonner à ces personnes ?

Efficace, c'est bien — bienfaisante, c'est mieux.

Il y a des médecins qui vous sauvent — et il y en a qui vous guérissent.

C'est bien à ces derniers que va ma préférence.

* * *

Nous qui, auteurs, passons notre existence à supposer des états d'âme, des cas de conscience, nous qui avons tant de peine à arracher des aveux sincères à ceux dont nous nous efforçons de faire des personnages, quelle serait notre joie si nous avions comme eux, comme les médecins, le droit de poser à des personnes que *nous ne connaîtrions pas* ces questions étonnantes et directes que, dès la première entrevue, le médecin pose sans rougir à sa cliente, à son client.

* * *

Je puis dire sans me vanter que, depuis quarante ans, j'ai fourni une assez belle carrière de malade.

Ce n'est pas que je sois d'une fragilité extrême — et je n'ai vraiment failli perdre la vie qu'une seule fois — mais j'ai une telle horreur de la maladie que j'envisage tout de suite l'aggravation possible du moindre malaise que je ressens.

Cela tient, d'une part, à ce goût singulier que j'ai pour l'existence — et d'autre part, à cette profession que j'exerce le soir.

On peut tout faire, étant souffrant — même l'amour ! — mais on joue mal la comédie quand on a la migraine.

* * *

Le comédien est un homme qui n'a pas droit à ces fameuses vingt-quatre heures d'attente, de température — et de réflexion que demandent les docteurs et les maladies avant que de se déclarer.

* * *

On dit que le rhumatisme préserve de la tuberculose. Je ne lui vois pas d'autre avantage. Depuis dix-huit années que nous vivons ensemble, mon rhumatisme et moi, j'ai eu tout le loisir d'en apprécier les inconvénients et la bizarrerie.

C'est un étrange et diabolique individu. Il redoute le froid, l'humidité, l'oseille et le vin de

Bourgogne. Il est capricieux, perfide et sa ténacité le rend intolérable. Il se manifeste — chez moi, du moins — de deux manières différentes. Il m'énerve, m'agace, me fait souffrir ou bien il me démoralise. Et quelqu'habitude qu'on en ait à la longue, il trouve toujours le moyen de vous surprendre. Il s'amusera un jour à vous faire croire que vous avez les reins malades — et ce sera un lumbago déguisé. Vous vous demanderez le mois suivant si vous ne vous êtes pas luxé la clavicule — et ce sera lui, cette douleur aiguë, localisée. Et cette rage de dents que vous aurez un jour, ce sera lui encore. Et ce point douloureux que vous ressentirez, si vif, en respirant, ce ne sera pas un point pleurétique — non, non, ce sera lui toujours. Il change de visage, il prend toutes les formes — et quelquefois il vous déforme.

* * *

Il n'y a pas de belle mort. Il y en a qui sont belles à raconter — mais, celles-là, ce sont les morts des autres.

Combien de fois l'ai-je entendue, cette phrase :

— Je voudrais mourir d'un seul coup, sans souffrir et sans avoir connu les infirmités de l'extrême vieillesse.

Eh ! bien, moi, je voudrais mourir le plus tard possible — non seulement de vieillesse, mais encore avec une lenteur infinie, car n'ayant jamais eu le temps de vivre, je voudrais bien avoir du moins le temps de mourir. Oui, je réclame une mort lente et toutes les infirmités possibles. Il me faudra bien cela pour que je parte sans trop de regrets.

La mort accidentelle m'a toujours semblé la plus abominable. La mort par maladie met la science en échec, et, de ce fait, elle a quelque chose d'absurde et d'injuste. Le suicide est un assassinat, car celui qui se tue, tue un homme — et c'est un crime.

Mourir de vieillesse est la seule mort qui soit acceptable — mais alors, celle-là, je la trouve parfaitement acceptable.

Donc, qu'on n'abrège surtout pas ma vie d'une minute — même par pitié pour ceux qui seront autour de moi !

Une minute de plus, pensez donc, c'est énorme !

Songez qu'en une minute, à ma dernière minute, on peut m'apprendre qu'on vient de découvrir la guérison du cancer : quelle belle mort j'aurais !

* * *

(D'un médecin)

Sa mort fut déchirante et — comme l'avait été sa vie — elle fut exemplaire.

Et, ne pouvant plus écrire lui-même, il dictait en mourant ses dernières ordonnances, comme il eût dicté ses dernières volontés.

* * *

Lorsque, par téléphone, on m'annonça qu'il était mort, j'eus l'impression très nette que je venais de perdre la santé.

* * *

Lorsque le Professeur Hayem traverse à petits pas le grand salon, chacun le salue. C'est la Santé qui passe.

Personne n'a encore osé lui parler. D'ailleurs, il n'a pas l'air aimable. Dame ! il doit savoir ce qu'il lui en coûte dès qu'il a l'imprudence de répondre trop gracieusement à un salut. Et j'imagine qu'il a dû bannir à jamais de son langage certaines formules de politesse. Celle-ci, entre autres — surtout; celle-ci :

— Comment allez-vous ?

Que se passerait-il si ces mots lui échappaient ?

On ne serait pas long à le lui dire, comment on va !

Entre deux bouffées de cigare, il m'a dit :

— En tout cas, vous avez tort de fumer, ce n'est pas bon.

* * *

Robin était un homme de génie. Non pas à la façon de Pasteur ou de Curie, non pas à la façon de ceux dont les découvertes sont d'immenses bienfaits pour l'humanité tout entière — non, les traits de génie de Robin, ses trouvailles, il n'en faisait bénéficier jamais qu'un seul être à la fois.

C'était un médecin traitant. Il traitait un malade, soignait la maladie de ce malade-là — mais non cette maladie-là.

Les grands médecins ont souvent une tendance à se spécialiser. Enriquez soignait l'estomac, Vacquez soigne le cœur — Robin s'était aussi spécialisé : il soignait les malades.

* * *

Mirbeau, confiant, prenait tout ce que l'autre lui apportait — et Robin s'en allait pour revenir encore quelques heures plus tard avec une autre pilule !

Mais s'ils ne se disaient plus bonjour, ils ne manquaient jamais de se dire au revoir. C'était comme un ordre que celui qui s'éloignait lançait de la porte à celui qui mourait — tandis que celui-ci répondait «au revoir», comme il eût dit «peut-être».

* * *

Mirbeau cessa de vivre à six heures du soir dans mes bras — et le Professeur Robin qui prolongea artificiellement son existence jusqu'au lendemain matin six heures, aurait pu très bien nous dire à ce moment :

— Puisque Mirbeau n'est plus... nous pouvons maintenant le laisser mourir !

* * *

A la vérité, on ne devrait pas recevoir plusieurs personnes à la fois, car elles finissent toujours par parler entre elles d'autre chose que de votre maladie — et c'est cela qui est éreintant !

* * *

Le bruit s'est répandu que j'avais été opéré, et, d'autre part, la promotion de l'Instruction publique vient de paraître, et me voilà officier de la Légion d'honneur — ce qui fait que, journellement, je reçois douze ou quinze dépêches qui semblent contradictoires. En effet, les unes me disent : «Suis enchanté de la bonne nouvelle» — tandis que d'autres me déclarent : «Suis désolé de ce que je viens d'apprendre».

Et je ne sais jamais si l'on me parle de ma rosette ou de mon opération.

* * *

A moins que vous ne teniez absolument à désobliger votre médecin, ne lui dites jamais :

— Docteur, je ne sais pas si c'est le médicament que vous m'avez ordonné qui en est la cause, mais il y a un fait certain, c'est que je me sens beaucoup mieux aujourd'hui.

* * *

Sait-on comment, jadis, en Chine, s'exerçait la profession de médecin ?

D'une manière originale si l'on veut, mais à quel point logique, et que bien des gens adopteraient sans doute avec plaisir chez nous, si Messieurs les Docteurs voulaient s'y prêter.

On paie ici son médecin quand on est mal portant — c'était tout justement le contraire là-bas. On faisait choix d'un bon médecin et l'on convenait avec lui d'appointements annuels dont le paiement était d'office suspendu pendant le temps que l'on était malade.

L'intérêt du médecin à vous guérir très vite était donc évident.

* * *

C'était à mon réveil — après l'opération. Le Professeur de Gaudard d'Allaines, cet homme merveilleux, qui venait de me sauver la vie, était penché sur moi — je l'ai reconnu et je lui ai dit :

— Alors, mon cher docteur, j'ai bien failli vous perdre !

VIII

De l'humour

Qu'est-ce que l'humour ? Avant d'essayer de le définir, avant d'examiner la chose, examinons le mot.

Mais tout d'abord, permettez-moi d'ouvrir une parenthèse (Alphonse Allais aurait ajouté : «Si vous avez un peu trop d'air, je la fermerai tout de suite !»).

Oui, j'ouvre une parenthèse pour vous poser une question. Vous êtes-vous jamais amusé à étudier l'existence des mots ?

Il y aurait un admirable livre à faire sur la vie des mots, mais il faudrait une âme d'entomologiste pour l'écrire.

Comme elle est mystérieuse, l'existence des mots... comme elle est différente de la nôtre et comme elle est plus belle encore !

Nous, nous naissons sans savoir pourquoi, après n'avoir été, souvent, que momentanément désirés, et la plupart des hommes meurent sans que l'on ait compris la raison de leur passage sur terre.

Tel n'est pas le cas des mots.

Les mots ne viennent au monde que si l'on a absolument besoin d'eux.

Ils naissent en une seconde et l'on s'aperçoit tout à coup qu'ils sont indispensables et l'on se demande comment on a pu se passer d'eux si longtemps... mais si d'aventure on se trompe, si l'on fait naître un mot qui n'était pas réellement nécessaire, si l'on s'aperçoit qu'il est de trop et qu'il fait double emploi, il passe rapidement de mode et finit par disparaître complètement.

Hélas ! il n'en est pas de même parmi nous et le temps n'est pas proche où l'on pourra supprimer les êtres dont l'utilité n'aurait pas été reconnue !

Et dans un sens, on peut dire, heureusement !

Les mots vivent en commun et ils se reproduisent entre eux. De sorte qu'un mot n'est jamais tout à fait nouveau, et, pour peu qu'on en ait l'habitude, on découvre assez facilement ses origines. Le plus souvent, la mère est latine et parfois le père est anglais, et c'est le cas du mot *humour* qui vient du mot français : *humeur* qui lui-même venait du mot latin : *humor*.

Il y a aussi des familles de mots comme il y a des familles d'arbres, et ceux-ci comme ceux-là ont la même racine. Mais en revanche, il y a des mots dont la naissance est ignorée, dont la provenance demeure inconnue. Ils sont, dit-on, d'argot. Ce sont des bâtards. Nés d'un coup sec, dans les faubourgs, pour les besoins d'une cause, mauvaise sans doute. Ils se glissent dans tous les mondes, ils font gaiement leur chemin, hardiment aussi... protégés par des gens qui cherchent à les imposer, ils sont un peu comme les pupilles de l'Assistance publique... et s'ils étonnent, et s'ils détonnent quelquefois, si les belles dames les prononcent en rougissant, reconnaissons du moins qu'ils nous rendent souvent de signalés services... et quand nous disons qu'ils nous échappent, ce n'est pas toujours vrai... et souvenons-nous que le plus vilain d'entre eux, bien placé, entre deux portes, dans l'oreille, a fait glisser plus d'une femme ! Les mots ont une existence infiniment longue comparée à celle des humains... mais ce ne sont pas les mots les plus employés qui meurent le plus rapidement. Non. Les mots ne meurent pas d'usure, ils ne meurent pas de vieillesse, non, ils meurent dans l'oubli et c'est à force de ne plus servir qu'ils disparaissent... et l'on a vu même des langues entières qui mouraient... on les appelle d'ailleurs les langues mortes... ainsi, le latin, langue qui est morte épuisée comme serait morte une personne à qui l'on aurait fait trop de prises de sang. Mais dans les langues les plus vivantes, il y a des mots morts. Quand on veut les revoir par curiosité, on n'a qu'à feuilleter des livres anciens... on les trouve entre les feuillets comme des fleurs séchées... Ils conservent comme elles un parfum délicat.

Oui, en recherchant d'où venait le mot *humour,* j'ai découvert qu'aucune langue n'avait été jusqu'ici plus accueillante que la langue anglaise... et comme aucun pays n'est plus conservateur que l'Angleterre, j'ai fait deux ou trois remarques qui vont, peut-être, vous sembler amusantes.

A la Chambre des lords, lorsque le roi va prendre la parole, un huissier s'écrie : «Oyez ! Oyez !» J'ai demandé ce que signifiait le mot «oyez», je l'ai d'ailleurs demandé à Sir Austen Chamberlain, qui me faisait l'honneur de m'accompagner, il m'a répondu que cela voulait dire : «Ecoutez ! Ecoutez !» et que c'était un vieux mot français. Prononcé par eux, on ne le reconnaît pas. Mais c'est «oyez ! oyez !» O-y-e-z du verbe «ouïr» : entendre, écouter.

Mais il y a une chose qui est plus curieuse encore :

Dans la langue anglaise, les animaux comestibles ont deux noms, un nom quand ils sont morts et un autre nom quand ils sont vivants.

Le bœuf se dit *ox* quand il est sur ses quatre pattes, mais dès qu'il est sur le flanc, il se dit *beef*.

Le veau vivant se dit *calf,* mort il se dit *veal.*

Le porc se dit *pig* quand il est vivant, il se dit *porc* quand il est mort.

Le mouton se dit *sheep* quand il vit, dès qu'il meurt, il devient *mutton.*

Pourquoi ? Parce qu'en Angleterre, depuis le XIIIe siècle, les gardiens de troupeaux ont toujours été allemands : *ox, sheep, calf, pig.*

Tandis que les cuisiniers ont toujours été français :

Veau : *veal.*

Porc : *porc.*

Mouton : *mutton.*

Bœuf : *beef !*

En me livrant à ces recherches, en faisant ces modestes trouvailles, je m'amusais beaucoup et je ne cessais de me répéter : faut-il, mon Dieu, faut-il que les choses nous soient mal enseignées quand nous sommes petits, pour que nous en soyons plus tard à ce point dégoûtés !

Car enfin il est curieux de noter que rien de ce qu'on nous apprend au collège ne nous intéresse par la suite.

On nous apprend l'arithmétique, l'histoire et la géographie.

Or, je n'ai jamais entendu des gens parler entre eux d'histoire, d'arithmétique ou de géographie.

Lorsque j'étais enfant, je m'étais convaincu que la vie devait se passer à réciter les départements, car on ne cessait de me demander si je savais enfin mes départements, et ce possessif d'ailleurs m'intriguait beaucoup.

On me disait que je ne savais pas mes départements alors que mon frère savait déjà les siens. C'étaient pourtant les mêmes !

Plus tard, j'ai cru comprendre la vérité. Oui, j'ai cru m'apercevoir que personne jamais n'avait pu les apprendre, mais que tout espoir n'était pas perdu et que l'on continuait à penser qu'un jour on trouverait quelqu'un qui serait capable enfin de les savoir par cœur.

Pendant des mois et des mois, je n'ai entendu parler que de cela à la maison.

Chaque fois que l'on me présentait à quelqu'un, ce quelqu'un, avant même de me demander de mes nouvelles, me disait : «Quel est le chef-lieu du Pas-de-Calais ?». Je répondais : Calais ! tout le monde faisait : «Oh !» et on me renvoyait !

J'avais fini par me convaincre que j'étais un ignorant... mais un beau jour, enfin, j'ai su la vérité, et j'ai compris que les grandes personnes n'ayant jamais pu apprendre leurs départements essayaient de les faire apprendre à leurs enfants dans le cas où, un jour, ils en auraient besoin, eux !

Et il en va de même pour tout le reste.

Dernièrement, Tristan Bernard m'a dit ce mot ravissant, à déjeuner, chez moi. Il m'a dit : «As-tu remarqué les progrès que fait l'ignorance, en ce moment !...»

Et c'est la vérité.

Prenez douze personnes adultes (on dirait une recette de cuisine !). Mettez-les dans un salon et posez-leur quelques questions sur l'Histoire de France, vous vous apercevrez qu'elles savent toutes les mêmes choses. Et qu'elles ignorent toutes les mêmes !

Elles savent toutes qu'Henri IV a été assassiné, mais demandez-leur, par exemple, quelle parenté il y avait entre Louis XV et Louis XIV, dix sur douze vous diront que c'était son neveu... une avouera qu'elle n'en sait rien... et la dernière enfin vous dira que c'était son petit-fils, ce qui est également une erreur !

En littérature, c'est la même chose. Tout le monde est convaincu que le célèbre vers «La critique est aisée et l'art est difficile» est de Boileau — alors qu'il est de Destouches.

D'ailleurs, il est curieux de constater qu'une erreur ne peut jamais se réparer. Ainsi, les pommes de terre que l'on fait cuire au four telles qu'elles, tout le monde les appelle «en robe de chambre» alors que leur vrai nom est «en robe des champs», et qui est beaucoup plus joli !

Et il est navrant de penser que le seul poète que les grandes personnes ne lisent jamais soit justement le seul dont il nous est parlé quand nous sommes enfants : Jean de La Fontaine ! C'est pourtant le plus grand de tous !

Et le nombre est considérable des choses auxquelles nous devrions nous intéresser, alors que la plupart des gens passent leur vie entière à se demander anxieusement ce qu'ils pourraient bien faire pour s'amuser un peu !

Les gens s'ennuient horriblement et pour se distraire, ils cherchent des distractions, et il y a des individus dont c'est le métier de leur en trouver tout le temps de nouvelles !

Or, ces distractions ne les amusent jamais !

Elles font vivre ceux qui les imaginent, mais elles n'amusent personne et pourtant les gens continuent à croire docilement ce qu'on veut leur faire croire !

Ils croient que le golf est un sport, que le bridge est un jeu, ils croient qu'il y a des dîners de gala, ils croient que les journaux racontent la vérité, ils croient que les mots croisés, c'est difficile à trouver. Ils croient qu'ils dansent quand ils se mettent deux par deux au milieu d'un restaurant... ils croient qu'ils vont à la chasse parce qu'ils prennent un fusil... ils croient enfin qu'ils ont fait quelque chose quand ils ont fait passer le temps !

Les gens ne comprennent pas que le temps n'est pas une chose qu'il faut faire passer ! Faire passer le temps !... Il ne fait que passer trop vite, hélas ! Il faut le retenir, au contraire, le temps... il faut l'empêcher de passer ! Et pour cela, il n'y a qu'un moyen : c'est de considérer que tout est intéressant et de s'intéresser à tout !

Le jour où les gens auront compris que ce qu'il y a de plus amusant sur la terre, c'est de s'instruire et que ce qu'il y a de plus embêtant, c'est de s'amuser... ce jour-là le monde aura fait un pas gigantesque vers le bonheur !

On va en classe pendant dix ans, de huit à dix-huit ans, et puis après, c'est fini... on n'apprend plus rien, on choisit un métier, on l'exerce, on se spécialise dans une branche et tout le reste, on le néglige, les arts, les sciences (ce qui fait la beauté de la vie), on s'en occupe quand on n'a pas autre chose à faire ! Et comme on s'en occupe mal ! Car les gens continuent à penser que la peinture et la musique, par exemple, sont des arts d'agrément !

Si le Palais de la Méditerranée est en feu... trente mille personnes iront le voir brûler... mais si vous exposez un tableau inconnu de Rembrandt dans le hall du Casino, il n'y a pas cinquante personnes par jour qui se dérangeront pour aller le regarder !

Vous vous souvenez qu'en 1912 on vola *la Joconde* au Louvre ? Deux mois plus tard, elle avait repris sa place, mais pendant ces deux mois d'absence, elle avait attiré plus de visiteurs qu'en vingt ans de présence ! Des tas de gens venaient regarder sa place vide !

Vous êtes-vous jamais demandé comment se passe l'existence d'un homme normal qui meurt à soixante ans ?

Faisons ensemble ce calcul.

Monsieur X... a vécu soixante ans.

Qu'est-ce qu'il a fait pendant ce temps-là ?

D'abord, il a dormi huit heures par jour, trois fois huit font vingt-quatre.

C'est-à-dire le tiers de sa vie. Donc, il aura dormi pendant vingt ans !

Pendant combien de temps sera-t-il resté à table ?

Il faut compter trois heures par jour au minimum. Ça fait huit ans. Il a mangé pendant huit ans.

S'il a travaillé pendant huit heures par jour, il ne l'a fait que pendant quarante ans. En tenant compte des jours fériés et des vacances, il a dû travailler pendant douze ans... pas plus.

* * *

L'idée saugrenue m'est venue, un jour, de faire une conférence sur l'art birman.

Je ne savais même pas où était la Birmanie, bien entendu, mais j'avais une envie folle de parodier toutes les conférences prétentieuses, assommantes, qui se faisaient alors, et que faisait n'importe qui sur n'importe quoi !

Il n'y avait rien sur mes affiches qui permît de croire à une plaisanterie.

Il y avait : *Causerie sur l'Art birman,* par M. Sacha Guitry, et puis les noms des artistes célèbres qui prêtaient leur concours à cette manifestation. (Parmi eux, il y avait de Max, ce grand tragédien.)

La salle était pleine et j'appris, non sans un peu d'effroi, qu'un pensionnat de jeunes filles avait loué tout le premier rang du balcon.

Le directeur, averti de ce que j'allais faire, me dit : «Faites attention, vous risquez de recevoir des petits bancs !».

Je lui ai répondu : «Enlevez les petits bancs et apportez-les-moi !».

Et j'ai fait mettre tous les petits bancs sur la scène entre les quatre pieds de ma table de conférencier.

IX

De l'automobile et du piéton

Il ne faut pas nier le charme enivrant de l'auto. Regardez-les, tous ceux qui conduisent. Ils ont dans les yeux, en dépit de la fatigue et de la poussière, cette flamme orgueilleuse, ce contentement de soi-même, et ils ont tous cette volubilité dans le récit d'une journée sans panne.

Ils n'ont lutté contre personne et cependant ils sont vainqueurs.

Ils avaient dit, en partant :

— Avec une voiture aussi vite que la mienne, mon cher, on ne peut pas avoir d'accident !

Ils disent, en rentrant :

— Je peux m'estimer heureux de n'avoir pas eu d'accident avec une voiture aussi vite que la mienne !

* * *

Regardez un homme qui «fait de l'automobile», s'il va de Toulouse à Marseille, il n'a pas l'air d'aller à Marseille, il a l'air de fuir Toulouse.

L'homme qui conduit sa voiture établit une moyenne. Il fait la chose la plus inutile, la plus dangereuse, la plus stupide, la moins significative qui soit, la plus décevante, celle dont il ne reste vraiment rien et qui plus qu'aucune autre s'en va en poussière. Il fait de la vitesse. Tous les goûts sont dans la nature. X... pendant son été peut faire de la peinture, Y... peut faire du tennis, Z... peut faire de la marche. Le premier perfectionne son goût, le second exerce son adresse et le troisième fera du bien à sa santé. Mais que pensez-vous de celui qui, pendant ses vacances, se sera contenté de faire de la vitesse ?

* * *

Dans les rues, il y a des voitures — et cela, c'est tout naturel ! — mais il y a aussi des personnes qui vont à pied — et cela, ce n'est pas tout à fait naturel. Cependant il convient de faire une importante distinction entre les piétons et les personnes qui vont à pied d'un point défini à un autre point défini.

Celles-ci ne font rien que de normal, en somme — tandis que le piéton est un individu tout à fait particulier. Il ne va nulle part — mais, en revanche, il est partout, partout où il ne devrait pas être.

C'est un être diabolique, qui possède une mentalité tout à fait singulière. C'est une sorte d'ennemi, une espèce de microbe qui vit dans les artères et qui a été créé et mis au monde pour rendre la circulation difficile.

* * *

Le piéton, comme son nom l'indique, ne marche pas : il piétine. Il piétine et passe sa vie entière à traverser les boulevards, les places, les avenues et les rues. Quand il est fatigué, il cherche un endroit où il y a déjà une agglomération causée par un accident ou par des réparations tardivement apportées aux chaussées et il vient augmenter le nombre infini des badauds. Le piéton, en vérité, c'est l'individu dont la fonction naturelle est d'empoisonner la vie de ceux qui possèdent des automobiles. Par exemple, il attendra patiemment au bord du trottoir l'arrivée d'une voiture pour enfin traverser.

Il ne craint pas d'être écrasé, car il se sait invulnérable. En effet, on n'écrase jamais de piéton. Ce qu'on écrase, hélas ! parfois, ce sont de pauvres gens distraits ou maladroits ou follement imprudents. Le piéton, lui, *sait* traverser. Il est la cause de la plupart des accidents, mais il n'en est jamais la victime. Son but, son rêve est d'être égratigné par le pare-chocs ou par l'une des ailes d'une voiture dite de luxe. Car on a bien la sensation que le piéton, quand il traverse, a, dans sa poche, ses papiers d'identité tout prêts et bien en règle.

X

De Dieu, un point, c'est tout !

Dieu n'est pas, à mon sens, un sujet de conversation et ce n'est pas encore assez que de le prendre au sérieux.

Je tolère assez mal que, d'un air pénétré, les gens s'en entretiennent — et je préférerais que l'on en plaisantât.

Je n'admets pas qu'on en dispose — et que tout un chacun le mette à sa portée.

Je n'admettrai jamais qu'on se dise averti de ses desseins secrets, de ses ressentiments et de ses préférences.

Je n'aime pas qu'on s'en remette à lui du soin d'être vengé — ni qu'on l'accable de demandes saugrenues.

Je n'aime pas non plus qu'on mette à son actif la mort prématurée d'un oncle à héritage, une victoire militaire ou bien la guérison d'une albuminurie.

Je n'aime pas qu'on l'amadoue par des promesses — et que, par des offrandes, on ait l'air quelque peu de lui graisser la patte.

Enfin, je n'aime pas que l'homme en fasse un homme — à sa piètre mesure.

Quelque modestes que s'appliquent à paraître les croyants, je les trouve impudents — et maladroits d'ailleurs.

Leur maintien compassé, la feinte humilité de leurs regards fuyants, leurs propos abrégés, leur affectation, leurs mines entendues — toute leur attitude enfin laisserait à penser qu'ils sont en relations personnelles et suivies avec le Créateur — ce qui me semble excessif pour le moins.

Et je ne vois que les athées pour m'être plus antipathiques.

Ceux-là ne portent pas à rire.

La gravité maussade et froide avec laquelle ils parlent du Néant me rend l'idée de Dieu séduisante au possible.

Leurs arguments décolorés tombent à plat — et quand ils cherchent à convaincre, ils en sont pour leurs frais, car la démonstration qu'ils font de la non-existence de Dieu leur donne aussitôt l'air de nier l'évidence.

Ne pas croire en Dieu, c'est repousser une hypothèse ravissante.

Nier Dieu, c'est croire en soi — comme crédulité, je n'en vois pas de pire !

Nier Dieu, c'est se priver de l'unique intérêt que peut avoir la mort !

Et, pour tout dire enfin, l'athée n'est à mes yeux qu'un fanatique sans passion, sans haine, sans amour — sans ironie d'ailleurs — et, partant, sans excuse.

Et, s'il faut en conclure, que faut-il en conclure ?

Les témoignages accumulés de la présence au Ciel du Divin Créateur sont loin d'être probants.

Mais, d'autre part — assurément — la «preuve du contraire» est inimaginable.

Or donc, précisément, il n'en faut pas conclure.

Il faut laisser à Dieu le bénéfice du doute.

Ce doute, dès l'enfance, on devrait le glisser dans nos âmes — et nous saurions dès lors en faire notre profit.

Rien au monde n'est plus obsédant que le doute. Aucune conviction n'a sa ténacité. Et quand il est ancré en nous, rien ne peut l'arracher.

Le bonheur et la joie, la fortune et l'amour, tout aussi bien que l'injustice et le malheur, nous y maintiendraient davantage — car douter de l'existence de Dieu, c'est douter plus encore de sa non-existence.

Quant à celui qui va mal faire, c'est dans ce doute seul qu'il peut s'en abstenir — puisqu'il n'est pas d'accommodements possibles avec le doute.

Et quant à moi, je doute en Dieu.

Et je me dis que s'il existe, il doit être tellement intelligent, compréhensif, spirituel même, qu'il ne doit pas être surpris du sentiment d'incertitude qui m'anime à son égard — incertitude raisonnée qu'il a d'ailleurs tout le loisir de transformer en certitude à l'instant même.

La moindre apparition sera la bienvenue.

Je suis étonné qu'un acteur ne se soit pas encore éteint en disant à mi-voix : «Rideau».

Il va falloir penser à ça !

TABLE

DANS LA MÊME COLLECTION

Les Pensées d'Alphonse Allais

Les Pensées de José Artur

Les Pensées d'Yvan Audouard

Pointes, piques et répliques
de Guy Bedos

Les Pensées de Tristan Bernard

Pensées, répliques et anecdotes
de Francis Blanche

Les Pensées des Boulevardiers :
Alphonse Karr, Aurélien Scholl,
Georges Feydeau, Cami

Les Pensées de Philippe Bouvard

Les Pensées d'Alfred Capus

Les Pensées de Cavanna

Pensées et anecdotes de Coluche
illustré par Cabu, Gébé, Gotlib,
Reiser, Wolinski

Et vous trouvez ça drôle ?
de Coluche

Les Pensées de Courteline

Les Pensées de Pierre Dac

Arrière-Pensées,
maximes inédites
de Pierre Dac

Pensées et anecdotes de Dalí

Les Pensées de San-Antonio
de Frédéric Dard

Les Pensées de Jean Dutourd

Les Pensées de Gustave Flaubert,
suivies du
Dictionnaire des idées reçues

Les Pensées d'Anatole France

Les Pensées d'André Frossard

Les Pensées, répliques et anecdotes
de De Gaulle
choisies par Marcel Jullian

Pensées, maximes et anecdotes
de Sacha Guitry

Pensées, répliques et anecdotes
des Marx Brothers

Les Pensées de Pierre Perret

Les Pensées de Jules Renard

Les Pensées de Rivarol

Les Pensées de Bernard Shaw

Pense-bêtes de Topor
illustré par lui-même

Les Pensées d'Oscar Wilde

Les Pensées de Wolinski
illustrées par lui-même

282

Imprimé en France par la Société Nouvelle Firmin-Didot
Dépôt légal : juin 1992
N° d'édition : 69 - N° d'impression : 47868
ISBN :2-86274-069-1